歴史を知る読書

山内昌之
Yamauchi Masayuki

PHP新書

はじめに――真実は陰気、嘘は陽気

「講釈師　見てきたような　嘘をつき」という言葉がある。

歴史を語り、人と交わるには、何よりも真実が大事である。しかし講談は、せいぜい嘘を真面目につかないと成り立たない。講釈師は、歴史の事実を語るのではない。自分の講談を聞いてくれる客に楽しんでもらわないと、職業が成り立たない。弘化三年（一八四六）に死没した名講釈師の田辺南窓（なんそう）は、あまり物を知らない客には何でも派手やかに嘘をつかないと損だよと述べたことがある。それにしても、南窓はうまいことを言っている。「真実（まこと）は陰気なもの、嘘は陽気なものと心得れば間違はない」（関根黙庵『講談落語今昔譚』平凡社東洋文庫）。

歴史を陽気でもなんでも自由に脚色できるのは、講釈師の特権である。現代なら劇作家や脚本家の腕の見せ所でもあろう。家庭で見るような大河ドラマに陰惨かつ憂鬱な事実だけをとりあげても視聴率は得られないからだ。

歴史家や歴史研究者が求めるのは、実際に起きた事実をもとに歴史をつらぬく真実を明らかにすることだ。他方、講談の「聴衆」（おきゃく）は、歴史家が語らない豊臣秀頼の最期とか、赤穂四十七士から抜けた寺坂吉右衛門の仕事の顛末を知りたがる。しかし、そこに居合わせた関係者の証言もなければ史料も乏しいとくれば、歴史家はたとえしたくても、事件を面白おかしく語ることはできない。そこで自由に想像を交えて楽しく語れる講釈師の登場ということになるのだ。かといって、講釈師はまったくの嘘や法螺だけを談じるわけでもない。講釈師は、歴史の骨や真実のかけらをふくらませているからだ。彼らには想像力や雄弁性が必要となる。南窓には、講談の神髄をついた言葉も残っている。講釈師になるには三つの条件が欠かせないらしい。「それは第一に音声、第二に胆才、第三は記憶だ」。

　歴史家の基本的な仕事は、史料を読んで史実を明らかにし、史論をまとめ史書を世に問うことだ。声の質や、格別の胆力の有無は問われない。この胆力とは、はったりのことか。記憶の力や才能はあるに越したことはない。それも、「聴衆」の前でパフォーマンスの才が問われるわけではないので、立て板に水とばかりの語り口の才も歴史家には問われない。

　以上から、お分かりいただけたように、歴史家や歴史学者の仕事はあまり面白いものではない。テレビの歴史番組で活躍する歴史学者の専門的な研究は、ふだんの「おきゃく」が期待するほど実は面白いものではない。むしろ、その逆であることが多い。歴史学者は、講釈師、いまでいえばタレントとは違うのである。座談のうまさや座の巧みなとりもちは、当人たちの才能に関わるものであり、歴史学者に要求される資質というわけではない。

しかし、歴史を正確に知るためには手続きがいる。それは、「おきゃく」になる読者が自分で史料を読まなくとも、安心できる知識を確実に得られるような「歴史を俯瞰(ふかん)する名著」を読むことだ。また、日本語で書かれた「近年の歴史学の成果」に接することも大事であろう。われわれの生きている時代も歴史の一部である以上、「現代を読み解く」ために有益な本も必要だ。こうして、混迷する現代にまで続く歴史の迷路めいた複雑さを少しでも理解できる書物を、ＰＨＰ研究所の西村健さんや水島隆介さんと一緒に集めてみた。初出の書評やエッセイの時にお世話になった方々にも感謝したい。

本書はむしろ読者としての「おきゃく」に楽しんでもらえることを願っている。そういえば、土佐弁では「おきゃく」という言葉は酒宴や宴会の意味でも使われるらしい。講釈師の軍書講談ほど楽しい嘘で盛り上がらないにせよ、歴史家と読者との本談義も「おきゃく」の場では楽しくなること請け合いである。

令和五年三月五日

山内昌之

歴史を知る読書　目次

第一章　歴史書の愉しみ方と落とし穴

第二章　歴史を俯瞰する名著

第三章　歴史上の名著

第四章　近年の歴史学の成果

第五章

現代を読み解くために

【初出年】第一章：二〇二三年
第二章―第五章：一九九二―二〇二一年

木村知躬氏に

第一章

歴史書の愉しみ方と落とし穴

「バック　トゥ　ザ　フューチュアー」

二〇二〇年から始まった新型コロナウイルスの感染拡大、二〇二二年二月に勃発したロシア・ウクライナ戦争など、私たちはまさしく激動の時代を生きている。環境問題をはじめとする地球的な課題への対処も、かねてより叫ばれているところだ。容易には先行きを見通せない不規則な時代を、私たちはどのように生きるべきだろうか。そう考えたとき、一つの大きな指針となるのが「歴史」である。

人類はこれまでにじつに多くの試練を経験してきたし、その克服や挫折についてさまざまなかたちで後世に伝えてきた。そうした先人の声に真摯に耳を傾けることは、私たちが迷い込んだ隘路を抜け出すうえでの光となりうるだろう。それでは、「歴史を知る」とは、具体的にどう定義できるだろうか。

歴史とはファクツ（事実）の積み重ねだから、多くの知識をもつことは、たいへん重要な基本条件となることは間違いない。しかし、たとえば歴代の天皇や徳川将軍の名前や在位年数など、歴史の本質からすれば二次的なファクツをただ記憶したり羅列したりできる人物は、真の意味で「歴史を知る」と評するに相応しいのだろうか。もしもそうであるならば、テレビのクイズ番組の勝者が、もっとも歴史を知っている理屈になりそうだ。

私がそれよりも重要だと考えるのは、ある史実に対する歴史解釈に対して、これまでの常識ではありえないような、思いがけない見方や切り込み方を果たし、現在と過去の価値観の差異に対して興味や疑問を向けたりすることだ。それが豊かな「歴史観」の持ち主と言えるのではないだろうか。東京の国立大学に勤務していたときに、私が兄事した人に勝俣鎮夫氏（東京大学名誉教授）がいる。日本中世史が専門で、代表作の一つ『戦国法成立史論』（東京大学出版会）では法制史の観点から中世と現代の常識の違いを指摘している。

その透徹した歴史観には驚かされるばかりであったが、勝俣氏が齢七十をすぎて執筆した『中世社会の基層をさぐる』（山川出版社）の第一章は「バック　トゥ　ザ　フューチュアー過去と向き合うということ」という興味深いタイトルがつけられている。そうした〝遊び心〟も歴史を学ぶ人間には大切なセンスだが、何よりも特筆すべきは、同章で繰り広げられている「先（サキ）」という言葉に対する考察であった。

「先」という言葉に対して、基本的に未来を指す際に用いられると想起する読者が多いはずだ。他方で、十五世紀半ばから十七世紀半ばの日本人、つまりは応仁の乱を経て織田信長、豊臣秀吉、徳川家康が覇を唱えた時代には、その逆で、「先」は過去を表す言葉であった。

考えてみれば、いまでも「先日」は過日と同義だし、大東亜戦争・太平洋戦争を呼称するうえで「先の大戦」という表現を用いるのは、その名残（なごり）に相違（そうい）ない。

なぜ、中世の日本では「先」という言葉を、われわれのように未来を指す意味として用いなかったのか。勝俣氏が考えるには、当時の日本人は未来とはそもそも自分たちには見通すことができない、神仏の支配領域だと捉えていたからだという。そして、「先」とは自分の目に見える範囲、すなわち過ぎ去った時代を指す言葉として用いられたと考察している。

現代を生きるわれわれは、ある種の知識の集積のなかで、また科学の発達もふまえて、未来とはある程度は予測できるものだと考えている。しかし、古代から中世の日本人は、未来とは自分の背中に広がっているかのような感覚をもっていた。だからこそ、日々を生きる手がかりを、自分たちの目の前に広がる「先」の世界、すなわち過去の歴史にヒントを求めたわけで、実際にそうして時代を切り拓（ひら）いてきたのである。

振り返れば未来

このように、現代と中世では空間や時間の観念が大きく異なる。この点を鋭く指摘した勝俣氏の着眼点には目を見開かされる。歴史をただの事実の羅列と捉えていたら、そうした着眼は得られない。同時に、勝俣氏が紹介した中世の人びとの過去との向き合い方は、歴史を学ぶ意味と愉(たの)しみを雄弁に物語っている。「バック　トゥ　ザ　フューチュアー」という言葉のとおり、未来への問いを解くカギは、往々(おうおう)にして人類が辿(たど)ってきた経験のなかに眠っているのだ。

　マキャヴェッリの『ディスコルシ』は、歴史の「読み方」を考えるうえでじつに勉強になる一冊だが、そのなかで彼は「世の識者は、将来の出来事をあらかじめ知ろうと思えば、過去に目を向けよ」と語っている。この世のすべての出来事は、過去によく似た事例を求めることができると、マキャヴェッリは考えた。人は行動を起こすにあたって、つねに同じような欲望に動かされてきたのだから、同じような結果が生まれてきたのも当然というわけである。

　私もマキャヴェッリの指摘に首肯(しゅこう)する一人だ。何がしかの試練や情景に接したとき、似通った場面に遭遇した先人たちは、はたしてどのように振舞って問題を解決しようとしたのか。それを参照することは、とくに危機の時代を生きる私たちにとって、じつに意義深い作法であるのは間違いない。

　なお、私が三十歳代の助教授時代、勝俣氏と同じく多くを学んだのは、西洋中世史を専門とする木村尚三郎(しょうさぶろう)氏（東京大学名誉教授）であった。木村氏は勝俣氏よりも早くから「振り返れば未来」という表現を用いていた。過去に知恵がはらまれていると語りながら歴史を学ぶことの大切さを説いていたが、私や古代ローマ史を専門とする本村凌二氏（東京大学名誉教授）は、この二人の影響を色濃く受けたことを懐かしく想い出すのである。

歴史における「比較」の妙

歴史を学ぶ面白さの一つは「比較」にある。勝俣氏は現代と中世の価値観を並べて検討したわけだが、そのプロセスで私たちは新しい発見に出会い、「アイテム」を豊かにすることができる。この場合のアイテムとは、専門と言い換えるとわかりやすいだろう。

たとえば、私はこれまでに専門の中東・イスラーム地域研究の分野で何冊も著書を上梓してきた。『スルタンガリエフの夢』（東京大学出版会、後に岩波現代文庫）ではロシア革命期のタタール人革命家であるミールサイト・スルタンガリエフ、『納得しなかった男』では青年トルコ革命の領袖エンヴェル・パシャ、『中東国際関係史研究』（以上、岩波書店）ではトルコを共和制に導いた立役者の一人であるキャーズム・カラベキルを、それぞれ一つの軸として叙述したものである。当然ながら、執筆に際しては数えきれないほどの公刊・未公刊の史料を用いたが、同時に当時は頭のなかに、じつのところ日本史における福島正則や井伊直弼、あるいは新井白石たちの生涯も浮かんでいた。意外に思われるかもしれないが、日本史を念頭に置きながら見通すことで、専門である中東・イスラームの歴史への理解を私なりに深めていたのである。

ある一つの地域や時代に詳しいだけでは、物事を類比することはできない。自分が好きな領域だけに閉じこもっていては、その分だけ知識は増えるであろうが、歴史の大局的な見方はなかなか磨かれないのである。

では、歴史を幅広く学ぶにはどうすればいいのか。そのもっとも近道が「読書」であり、なるべく多彩な書籍を手に取るべきなのである。もちろん、興味のある時代や人物の本を片っ端から読み漁ることも否定されるべきではないが、他方で、それだけでは歴史観を養うことは難しいだろう。これは歴史学に限った話ではなく、いかなるジャンルにおいてもオリジナリティのある発見とは、そう簡単に生まれるものではない。そこで、さまざまな本を読むことを通じて、自分なりに時代や人物を比較することに大きな意味が生まれるのである。

とはいえ、いつの時代も、国と民の大事に与る政治家や高級官僚が読書や学問に身を入れすぎるのも禁物ではないか。彼らは学者とは違う。

江戸時代を例にとれば、大岡越前守忠相が荻生徂徠に入門しようとした逸話を思い出す。徂徠は越前守に対して、あなたには「頓智」があり、よく訴訟を裁いており、いまから読書・学問をすれば、かえって「御役儀」を軽んじ、務めが疎略にもなりかねないと自分への入門を勧めなかった。越前守は、学問をする者は役儀につけないというのかと疑問を呈する。すると、徂徠はやや手厳しく、次のように答えた。

「むかし大役をつとめた博学な人は、幼年期から学問をして自然に道を極めた人だ。学問は大道である。必要があるからといって急に学び、役に立てるものでもない。あなたのお役はお裁きにある。これまでの裁き方でよろしいのであり、人びとも得心してきた。当面の学問はかえってお仕事の妨げになる」（「八水随筆」『日本随筆大成』第Ⅰ期6、吉川弘文館）

徂徠の発言は現代の学者にも厳しい頂門の一針であるが、政治や行政にあたるリーダーにもあてはまることではないか。読書や教養は必要であるが、学者と政治家・官僚が同じである必要はないのである。

ソマリアと室町時代を対比

異なる国や時代、人物を比較の対象として扱えば何がしか自分なりに成果を得られる。ポール・ヴェーヌというフランスの古代史研究者は、『パンと競技場　ギリシア・ローマ時代の政治と都市の社会学的歴史』が代表作として知られるが、『歴史をどう書くか　歴史認識論についての試論』（以上、法政大学出版局）でやはり歴史を類比することの大切さを説く。

以上の文脈で、私が感心させられた一冊が、『世界の辺境とハードボイルド室町時代』（集英社文庫）である。現代のソマリアなどを取材し続けているノンフィクション作家の高野秀行氏と、室町時代など日本中世史を専門とする歴史家の清水克行氏が縦横無尽（じゅうおうむじん）の対談を繰り広げているのだが、まさに歴史における比較の妙を余すところなく表現している。

本書では、ソマリアの内戦と中世の応仁の乱などとの共通点が多く指摘されている。また、高野氏曰（いわ）く、シリアやイラクでも一応は政権らしきものがあるが、ソマリアにはそれさえも存在しない。しかし、むしろ下手（へた）に都市や都会があるほうが治安は悪く、草原や高原の部族社会のように顔が見える社会では他者に危害を加えるという発想はないのだという。たしかに昨今の東京では、たとえば電車では肩がぶつかった・ぶつかっていないで大人同士が争っているし、一般市民が凶器を手に他者に危害を加えるという痛ましい事件も起きている。高野氏は、そうした突発的な出来事は、むしろソマリアのような社会のほうが起きる確率が低いと指摘している。

対する清水氏も、勝俣氏や網野善彦（よしひこ）氏をよりハードボイルドにしたような視点から、高野氏の話を受けて日本の中世との共通点を鋭く指摘する。そうして生まれる議論からは、まさしく歴史を学ぶ愉しみが存分に伝わってくる。私自身もありきたりの歴史観を大いに揺さぶられた一冊だが、歴史とはやはり一つの時代や地域を学んでいるだけでは得ることが難しい視点がある。

頼山陽『日本外史』への誤解

ソマリアや中世の日本のように、私たちが生きる社会とは異なる世界を知ることは、「平和」を築くうえで大きなヒントを与えてくれる。そこでもう一冊紹介したいのは、頼山陽（らいさんよう）の『日本外史』である。個人的には、司馬遼太郎の小説に匹敵するほど読んでいて面白い本である。

『日本外史』はしばしば、書かれている内容の根拠を疑問視する向きもあるが、頼山陽は基本的に史実に忠実な人物であり、たとえば『坂の上の雲』のように人物を文学的に脚色したり創造したりはしていない。それでいながら叙述にすこぶる迫力があるのが印象的で、その迫力が何に依拠（いきょ）しているかを考えたとき、頼山陽は日本史上の合戦などを取り上げていても、大前提として平和とは何かを追求していることと無縁でないことに気づいた。

歴史が好きな日本人は、たとえば戦国時代に代表される中世史、あるいは幕末から日清・日露戦争にかけての近代史に魅力を感じる人間が多い。ところが私に言わせれば、そのあいだの江戸時代にどうして人気が集まらないのか、甚だ不思議である。これだけ平和を尊ぶ国民が、太平の世を築いた徳川幕府やその祖である徳川家康よりも、暴力や粛清にあけくれた信長や秀吉を賛美するのはなぜだろうか。

信長や秀吉は、戦国時代という過渡期を終えるために現れた、従来の日本にはいなかったタイプのリーダーだと私は考えている。彼らが凄まじい暴力を辞さなかったからこそ、たしかに時代は切り拓かれたのかもしれない。しかし他の時代や人物に見向きもせず、信長や秀吉の活躍ばかりを追いかけていては、現代に活かせる学びの射程は限られてしまう。

むしろ、秀吉が関係を悪化させた朝鮮や中国との関係を修復し、東南アジアに平和貿易という概念を用いた徳川家康にも目を向けて然るべきだろう。二百七十年の徳川の太平の世はたしかに「血湧き肉躍る」時代ではないかもしれない。しかし、平和や持続可能性がテーマになるこれからの時代を考えるうえで、間違いなく重要な参照軸となるはずだ。

頼山陽の『日本外史』に話を戻すと、私には本書が誤解されているように思えてならない。というのも、幕末に勤王の志士に影響を与えた印象が強いからか、現代の日本人の多くが「反徳川」「反江戸幕府」の書物と捉えているように感じるのだ。しかしじつのところ、その見方はまったく正しくない。

その冒頭には「例言」として本の要旨が書かれているのだが、そこでは「我が徳川氏」という表現が用いられているばかりか、徳川幕府が平和と繁栄の統治をもたらしたと明言されている。そのうえで、かつて徳川氏が戦乱を終結させた意味や、当時の日本人が平和な時代を生きる有難みをわかっていないと厳しく指弾する。

『日本外史』はつまるところ、源平二氏から徳川氏までの武家盛衰史であるが、頼山陽は最初から順を追って読んでほしいと語っている。歴史を一カ所のみ切り取ることは、大きな危険性をはらんでいる。たとえば、関ヶ原の戦いでは徳川家康と石田三成に限らず、毛利家や前田家、あるいは上杉家などそれぞれの立場を満遍なく読んでいかないと、どの家が正しくてどの家が悪いかという話になりかねない。もしも毛利家の視点だけを追いかけてしまえば、必然的に「徳川家に領土を奪われた」という怨みのエピソードになってしまう。

『日本外史』を最後まで順を追って読めば、平和な時代の尊さがわかると頼山陽は語る。結びの言葉はとくに印象的で、「衣類も荷物も無防備のまま、つまり甲冑などを着ることなく、食料をもたずに旅をできるのは誰の力であろうか」と尋ねている。

答えは当然ながら、兵乱が多かった歴史に終止符を打った徳川家康の功績こそ大きいということを、彼は一貫して主張した。以上をふまえれば、『日本外史』を素直に読めば倒幕を促す本ではないことがわかるはずだ。そして、歴史の一部分だけを切り取って学ぶことの危うさを、頼山陽の言葉から窺える。

頼山陽は『日本外史』で乱世の中世を描くことで、逆説的に平和の重要性を説いた。「人命至重」という言葉を用いているように、そもそも何よりも人命に重きを置く思想の持ち主であったし、海外への侵略や膨張も否定するような人物であった。

ところが、そうした考え方と相容れなかった人物が幕末に存在した。誰もがその名を知る、長州藩の吉田松陰である。

吉田松陰が陥った「ヘロドトスの悪意」

私も例に漏れず松陰を、日本史を語るうえでは欠かせない人物だと評価している。しかし、松陰自身、『講孟余話』で歴史を学ぶ大切さを強調しているものの、『日本外史』の読み方については問題があったと指摘せざるを得ない。

濱野靖一郎氏が著した『頼山陽の思想　日本における政治学の誕生』（東京大学出版会）に

よれば、松陰は松下村塾で『日本外史』を毛利氏の部分から講読することが多く、徳川氏の記述を弟子たちと一緒に読むことはなかったという。また、毛利元就は主人である大内義隆に謀反した陶晴賢を討ったが、松陰は毛利氏の「義」を強調した。加えて、関ヶ原の戦いで毛利家は領土を削られたことを紹介し、門下生が長州藩の受けてきた屈辱を学ぶように『日本外史』の読み方を教えた。

それも一つの歴史の学び方ではあるだろう。しかし率直にいえば、私はそうした『日本外史』の「誤読」、さらにいえば一側面をことさら追究する姿勢そのものに、歴史観を養う方法としては疑問を抱いてしまう。

歴史とは学び方によって、人びとを過激な方向へと導きうる。また歴史叙述が公正ではなく、いわば悪意に覆われている例は枚挙に暇がない。じつは、前五世紀に古代ギリシアのヘロドトスが書いた『歴史』は悪意の塊だという説がある。そう唱えたのはプルタルコスで、彼はずばり「ヘロドトスの悪意」という論で、悪意をもって歴史を叙述する特徴として八点を挙げる。

第一は出来事を叙述するときに極めて過酷な言葉や表現を用いること。第二はある人物の愚行を強調するために無関係な話題をもち出すこと。第三は立派な業績や称賛に値する手柄を省略すること。第四は同じ出来事への解釈が複数あるとき、悪いほうを選び取ること。第五は事件の原因や意図がはっきりわからない場合、敵意と悪意から信じるに値しない推論に手を伸ばすこと。第六は人の成功を金銭や幸運に拠るとして功績の偉大さを減らすこと。第七は婉曲に誹謗の矢を放ちながら、途中で非難を信じていないかのように公言すること。そして第八は少しだけ褒め言葉を付け加えて難癖を薄める書き方をすること——である。

松陰は「ヘロドトスの悪意」の第三などに囚われてしまっており、平和を築いてきた徳川幕府の功績をまったく無視している。もちろん、「ヘロドトスの悪意」とは松陰に限らず誰もが無意識に陥りがちな悪弊だし、本当の意味で公正な歴史の見方など存在しないのかもしれない。だからと言って、偏った歴史観を磨き続ければ物事の本質を見誤ってしまうだろう。

文学作品との対話が「幅」を広げる

昨今、いわゆる「歴史好き」は、往々にして司馬遼太郎や池波正太郎、山岡荘八に代表される歴史小説を指してそう口にしている。あるいは、『鬼平犯科帳』のようなドラマや映画を歴史として信じているのかもしれない。もちろん私もそうした作品は好きだし、エンターテインメントとして優れているのは論を俟たない。そこで描かれている世界は歴史そのものではないから、小説やドラマだけで歴史観を培うことができるかといえば難しいだろう。他方で、自身の「幅」を広げるうえでは、古今東西の文学作品などに触れることは大きな意味をもつ。

先ほども紹介したポール・ヴェーヌは古代史の研究者だが、彼はルネ・シャールという詩人に入れ込み、実際に会いに行くにとどまらず評伝まで著している。考えてみれば、古代史の研究でも『オデュッセイア』のホメロスを抜きには語れないわけで、その意味ではヴェーヌが詩人に関心を抱いたのは不思議ではない。これは日本史にも言えることで、『新古今和歌集』を無視して中世史を理解することはできない。歴史を知るうえで文学とはあえて切り離すべき存在ではなく、むしろ歴史観を養うための重要なヒントにもなりうる。

私の体験を話すならば、もっとも好きな江戸時代の随筆(ずいひつ)の一つが松浦静山(まつらせいざん)の『甲子夜話(かっしやわ)』(平凡社東洋文庫)であり、静山その人にも関心があるので、その領分の平戸(ひらど)を訪ねたりもした。問題は、歴史を学ぶに際してはなるべく発想を自由にするべきだし、その意味では歴史の所産としての小説や随筆に触れることも大きな意味をもつということだ。江戸随筆という特異なジャンルを史料でないというのは、あまりに狭い料簡(りょうけん)ではないだろうか。結局のところ、歴史観を広く偏見なく養うには、さまざまな国と多様なジャンルの書物に向き合うに越したことはないのである。

　この点で学ぶべき人物の一人が、寛政六年（一七九四）に幕府の「学問吟味」で最優秀の成績を収めた遠山景晋の例である。「遠山の金さん」の実父として知られる旗本きっての秀才は、何も朱子学や漢学の本ばかり読んでいたわけでない。蝦夷地への出張に際して書いた紀行文のなかには、各地の地誌などについて『万葉集』『大和物語』『無名抄』、あるいは西行の歌といった和学や歌書から学んだものが多い。さらに、出張との関係で読んだ書物には、『蝦夷拾遺』『東遊記』『蝦夷志』『北海随筆』など北方関係のものが目立つ。また、『碁太平記白石噺』といった仇討ち実録物まで読んでいる。

　彼は、その後も長崎や対馬へ出張する折に土地に関係する書物を読んだものだ（『長崎奉行遠山景晋日記』清文堂出版、藤田覚ほか編）。幕府役人として不可欠の基本教養として儒書に通じていただけでなく、和書さらに琵琶までよくしたというから、まことに幅の広い人物というほかない。景晋が初めて役職についたのは、三十六歳のときである。養子に入り、三十五歳で家督を継いだ。この長い不遇の時期に、読書と学問を重ねたのだろう。荻生徂徠がもしも後世の遠山景晋を知る機会があったなら、これこそ「幼年より学問して、しぜんにその道を得たる也」と、同じ旗本の大岡忠相に模範とすべしと助言したかもしれない。

column

私の読書法

大きめの付箋と二色のマーカー

本を読むときに、重要だと思われる部分に付箋を貼ったり、ページの角を折りながら読むという人も多いだろう。

私も御多分に洩れず、付箋を使うことは珍しくない。わざと大きめの付箋を用意して、気分転換もかねてハサミで切り、ページに貼り付けるのである。このように、あらかじめ付箋を用意し、机に向かって読むこともあれば、何の道具も使わず気ままに読み始めることもある。とはいえ、後者の場合でも読み進めていくうちに「これは面白い」と思える箇所がたくさん出てきて、「付箋を使えばよかったな」と後悔の念をもちながら読むことも珍しくない。

付箋とは別に、ラインマーカーで線を引くこともある。色は決まっていて、黄色とオレンジの二色。たとえばピンクは、往々にしてページの裏側に滲むので使わない。いずれにしても、二色あれば事は足りる。私などは、むしろそれ以上用いると混乱してしまう。

　黄色とオレンジのマーカーをどう使い分けているかというと、最初に読む時は黄色を使い、再読の際はオレンジを手にする。つまり、まずは黄色のマーカーを引きながら本を読み終わり、その場で読み返したり、少し時間が経ってから再読したりするときに、オレンジのマーカーを用いるのだ。時には黄色とオレンジが二重に重なっている箇所も出てくるが、それだけ印象に残ったということだ。その内容を、後に執筆する際の資料や書評を書くうえでの材料に用いたりする。

　一度読んだだけではその重要性に気づかなくとも、再読した際に感銘を受ける表現もある。その逆で、初見では印象に残っても、二度目に読んだときはそれほど面白いと思えないこともあるだろう。しかし、その本の「真の急所」となる部分は、何度読んでも自然と目が留まる。一冊の本の内容をすべて覚えるのは不可能だが、肝要な箇所はなるべく忘れないようにしたいものだ。

　とはいえ誰でもすべての本を二度読むわけではない。その必要がないと判断することもある。ただ、これは職業柄の話だが、史料は再読することが多い。読み違えることがあるし、史料の記述そのものが誤っていることもある。その誤りに気づくためにも、再読することが望ましいのだ。

たとえば、いまのトルコ語はラテン文字、すなわちアルファベットで書かれているが、以前はアラビア文字で書かれていた。私は仕事で十九世紀から二十世紀初頭にアラビア文字で書かれたトルコ語文献を読むことも多かったのだが、史料のなかには刊本ではなく手書きの写本もある。当然、丁寧に書き写されたものばかりでなく、点が一つ増えていたり、字が完全に間違っていたりすることもある。そのような「罠」に騙されないためにも、私は史料を読むときには厳密に二回以上読むことが習慣となったのである。

そうした史料に限らず、外国語の本を読むときは多くの場合、辞書を用いながら読むことになるので、机に向かって読むことが多い。とくに手ごわいのは、やはりイスラーム圏の文献である。

二十代後半から三十代くらいにかけて、ひたすらイスラーム圏の文献と格闘して、日本語の本をほとんど読まないという時期が二年間ほどあった。日本語の書籍は一切手に取らない——それくらいの気構えをもって言語の壁に挑む時期がないと、イスラーム系の文献を読みこなす力は身につかない。その頃は、よく研究仲間と「日本語を読むとイスラームの本は読めなくなるな」「最近なんか日本語の本を読んだか?」「いや、まったく読んでいない」といった類（たぐい）の会話を交わしたものだ。その後も、二〇一三年に刊行した『中東国際関係史研究』を執筆している時期は、日本語の本はほとんど読まなかった記憶がある。

いま日本の小説を愉しく読みながら、ふと当時のことを思い出すことがある。日本語の本をほとんど読まないというのは、つくづくぜいたくな経験だったと思う今日此頃である。

第二章

歴史を俯瞰する名著

■『歴史と私　史料と歩んだ歴史家の回想』

伊藤　隆（中公新書）

歴史を〝足で書く〟、情熱と使命感の深さ

歴史学の研究は史料なしには成立しえない。しかし、自分が関心をもつテーマに潤沢な史料があるとは限らないのが研究者のつらいところだ。とくに近代史や現代史のように、信頼できる典拠が少ない分野では、史料の発掘や編集を学者自らが手掛けなくてはならない。

本書の著者、伊藤隆氏は、戦前戦後の日本近代史と現代史を明らかにするうえで不可欠の史料を発掘しただけではない。発刊した『年報・近代日本研究』で若手に論文を発表する場をも提供した。氏は、著名な政治家や軍人や外交官の遺族と交渉し、ときには公開を渋る人びとを説得しながら、日記や手紙の公開と刊行にこぎつけた。本書では、伊藤博文から佐藤栄作にいたる歴代首相の史料収集と編纂はもとより、岸信介や竹下登などを相手にしたオーラル・ヒストリーという歴史研究の新分野を開拓した顚末が、本の副題どおりに、率直な感想と明快な文章とともに明らかになる。

一読して驚くのは、歴史研究への情熱と使命感の深さである。昭和史の謎を解く文書があると聞くと、いつでも、どこであっても、誰のところにも駆けつけて史料になるか否かを探り、関係者を口説く熱情に圧倒される。もちろん、遺族によっては、公開を躊躇う人も多いのだが、数年、十数年もかけて粘り強く許可を求める努力も怠らない。著者の姿を見ると、〝現代史は足で書くものだ〟という感に強く打たれる。

手紙などの解読困難な文書をきちんと読み込む一方、現役あるいは引退した政治家の胸中を探るオーラル・ヒストリーを成功させる伊藤氏の才は際立っている。私なども不十分ながら読んだ『木戸幸一日記』が公刊されるプロセス、田中義一の政治資金の出所を調べていた検事を殺害したという噂のある人物のインタビュー、労作『昭和初期政治史研究』をめぐるマルクス主義的研究者たちによる非常識な反応など、興味深い逸話も満載されている。

東大の元国史教授だった平泉澄のインタビューも興味深い。平泉に会うと、正座を強いられるなど緊張感を味わったらしい。戦前史では「これから私が日本を指導した時代についてお話しします」と始めたのには、「さすがにちょっと鼻白みました」と率直な感想を漏らしている。戦前と同じく日本刀を抜いてポーズをとるあたりで若い学者は面白がるが、私がいちばん仰天したのは、平泉が大のプロレス好きだった事実である。「隠忍に隠忍を重ねて、最後にパッと相手を倒す。これは日本精神に通じる」。伊藤氏もこれには驚いたらしい。

　本文では自著の『昭和十年代史断章』を山川出版社から出したとあるが、これは東京大学出版会の歴史学選書ではないだろうか。私が駒場の助教授時代に読んだ懐かしい書物である。『茨城県議会史』や『東京大学百年史』の編集や原稿の入るときの高揚ぶりなど、歴史研究者として学ぶ点があり、真摯な学者のあり方についても教えられる点が多い書物である。

■『大世界史　現代を生きぬく最強の教科書』

池上　彰、佐藤　優（文春新書）

歴史を学ぶことで、世界通史を「代理経験」する

何よりもタイトルが絶妙な本である。水戸光圀の『大日本史』や文藝春秋のベストセラー『大世界史』の名称をまず連想してしまった。果たして、文春新書として先人たちの『大世界史』を意識したことは間違いないようだ。しかし、先達の作品が通史だったとすれば、今回のコンパクトな対談『大世界史』は、むしろ中国やトルコやドイツなどの現状分析を「断代史」の関心から描き、一書に集積させるスタイルに近いといえよう。

池上氏と佐藤氏という博識な二人が、トルコのエルドアン大統領に毒見役がいることに触れ、イスタンブルのエルドアン・モスクが、メッカ以外でミナレット（塔）が六本ある世界唯一のモスクであることなど、さりげないことから読者の世界史に対する関心を深めようとする。ついでに言えば、毒見役はオスマン帝国のスルタンやイスラーム王朝につきものであり、アブデュルハミト二世には喫煙の「毒見役」もいたと伝えられる。このあたりを比較し

ながら議論を深めていたなら、エルドアンがすでにスルタンの気分だ、という二人の知見がさらに説得力を増していただろう。

もっとも本書の価値は、歴史を何故に学ぶのか、という根本問題で面白い提言をしている点にある。佐藤氏は、歴史とは現代と関連づけて理解することで初めて生きた知になると指摘する。良い遺産を継承し、悪い遺産を批判的に継承するか遮断するかの、いずれかに留意すべきだという。すると池上氏はすぐに、ゴーギャンの「われわれはどこから来たのか　われわれは何者か　われわれはどこへ行くのか」という絵を引き合いに出しながら、自分の立ち位置を知るために歴史を学ぶ、と応じる。

佐藤氏の「代理経験」という考えも興味深い。人間が人生のなかで経験できることには限りがあるので、歴史を学ぶことによって、自分が経験できないことを代理経験できるというのだ。これは世の中の理不尽さを経験することになり、社会や他人を理解し、生きる現実感覚を養ってくれる。このために重要なのは世界史を学ぶことで、「日本人としての自分」がどこにいるのかを理解できるという至極まっとうな結論なのである。そこで「大世界史」という題名にもなるようだ。

佐藤氏が具体的にビジネスパーソンに勧めるのは、社史を読むことである。不祥事があったときにどう記録し、どう誤魔化しているか、自分の立場で考えなさい、ということなのだろう。池上氏は、東京工業大学で水俣病やチッソの話をしているらしい。学生たちにとって、かくかくの会社に入って公害を発生させる立場になったら、さあどうする、という問いかけは重い。「歴史を学ぶ」ことは間違いなく重要であるが、「歴史に学ぶ」ことも人間の判断材料を豊かにし判断基準を深めるうえで不可欠なのである。最後に佐藤氏は、不祥事を起こした会社の歴史を知っておくと、「この組織は駄目だ」と逃げるべきタイミングも判断できる、と歴史の不思議な活用術を説いて終わっている。いかにも氏らしいエンディングに思わず笑いを誘われる世界史入門の試みである。

■『世界史の大転換　常識が通じない時代の読み方』

佐藤　優、宮家邦彦（ＰＨＰ新書）

■『使える地政学　日本の大問題を読み解く』

佐藤　優（朝日新書）

地政学を最も有効に活用しているのはロシア

いま日本でいちばん魅力的な対談コンビによる新書であろう。宮家邦彦氏と佐藤優氏の共著『世界史の大転換』のキー概念は、「ダークサイド」という言葉である。もともと映画『スター・ウォーズ』に由来する言葉のようだ。醜悪かつ不健全にして排外的で時に暴力を伴う「大衆迎合主義的ナショナリズム」こそ、ダークサイドに他ならない。宮家氏によれば、経済の格差と不平等、それに伴う生活や将来への不安は、世界中に広がるダークサイドを生み出した根源なのである。

ことにヨーロッパの場合、ダークサイドは反移民、反イスラーム、反ＥＵになり、アメリカの保守層からすれば反少数派、反新参移民や反イスラームになるというのだ。ついでに言えば、日本のダークサイドとは、「妄信的な反中・韓と反北朝鮮」になるらしい。アメリカでは言わずと知れたトランプ現象である。確かに、白人・男性・低学歴・ブルーカラーを中心とするプア・ホワイトの現状不満層がダークサイドの担い手になるのだろう。その背後には、当然「ブライトサイド」つまり光の部分もある。それは、理想主義やアメリカンドリームを体現したワシントンとエスタブリッシュメントであり、彼らへの反感や怒りがダークサイドの力の源泉である。

佐藤優氏も対談で応えたように、クリントン夫妻と娘のチェルシーは成功者の代名詞であり、アメリカンドリームの体現者である。夫が大統領になり、娘が経営コンサルタントとして成功しただけでなく、クリントン財団の副会長として両親の講演活動を仕切っているのだ。ヒラリーは一回二〇万〜三〇万ドルの講演料を要求して顰蹙（ひんしゅく）を買った。これは無理もない。二〇一四年のビルの講演収入だけでも、一三四〇万ドルだったというのだから、アメリカンドリームの恩恵に浴さない人びとはどう思ったのだろうか。佐藤氏も語るように、ダークサイドから見れば、クリントン一家の存在そのものが怒りの対象になると言っても間違いないのだ。

外務省を違う事情で辞めた二人は、多くの点でトランプ現象をアメリカ専門家以上に、正確に理解している。それは、「これ以上失うものがない九九％の貧困層からすると、既存政治を破壊して社会をひっくり返すことが浮上のきっかけになるかもしれない。閉塞感を打破するためにトランプに期待する、という感覚だったのではないでしょうか」という佐藤氏の指摘である。たしかに、トランプが勝った二〇一六年の米大統領選挙は疑いなく世界史の大転換を画するものであった。

『使える地政学』は、地政学とは何かについてわかりやすく解説しながら、現代の紛争や衝突を解析するうえで手本を示した新書である。「学問形態としては、二十世紀初めにあらわれた政治学、あるいは国家学。地理的諸条件から国家や民族の特質を説明しようとする学問。マクロの視点、言いかえれば大所高所から国家間の関係を捉える場合が多い」。

こう定義したうえで、佐藤氏は、「地政学は乾いた学問」だと、簡潔に本質を言い当てる。そのうえで、地政学を世界でいちばん有効に外交と内政に活用している国はロシアだと推定する。

プーチン大統領は、かつてウクライナ問題に寄せて、ロシアのような国には固有の地政学的な利益があることを、他の国々はもっと理解すべきだと公言したこともある。ＥＵやＮＡ

ＴＯはロシアの立場を尊重せよというメッセージである。ＫＧＢに勤めていた自分は、ソ連が崩壊すれば全部が根本的に変わると思っていたのに、何も変わらなかったと語りながら、注目すべき指摘を公（おおやけ）にした。「地政学的な問題は、イデオロギーとは何の関係もないからだ」と。

ウクライナやクリミアからシリアにおけるロシアの失地回復や権益保持に向けたプーチンのすさまじい執着の基本にあるのは、やわな国際政治の楽観的な認識や、ましてや国際協力・人道支援といった日本人好みのテーゼでなく、純粋にロシアに得か損かだけで判断する冷徹な利益主義である。財政破綻したギリシアにロシアが接近したのは、正教世界の誼（よしみ）という大義に託して、ＥＵに亀裂を入れ、ＥＵが弱まると「ラッキー」という乾いた論理で攻める突破口になるからだ。

物語やロマンはプーチンの地政学的思考には必要がない。イギリスの離脱によってＥＵが分裂する点こそ、ロシアの願っていた最良のシナリオであった。今回の離脱はロシアにとって満点のシナリオ実現に他ならない。

中東についても、佐藤氏は地政学的観点から重要な指摘を忘れない。もともと歴史における時間のスケールで考えるなら、民族や近代国家といった要素は脆弱（ぜいじゃく）であり、何かの変動があればすぐに吹き飛んでしまう。歴史の浅い国民国家の器の中で中東の抱える問題を解決しようとしても、歴史や宗教の独特な構造を考えれば、そもそも無理があったのではないかと語り、一九一六年のサイクス・ピコ秘密協定以前の状態に戻ること以外に解決策はないと示唆する。

これは正しい道筋を示しているが、解決には気の遠くなるほどの時間がかかるだろう。中東分割を定めたサイクス・ピコ秘密協定が諸悪の根源だというのは、地域研究者なら誰でも言うことだ。しかし、一九一六年以前に戻れと大胆に提言し、「解決までにどれだけ時間がかかっても、問題の原点に戻ることからはじめるしかない」と提案するのは、著者に地政学の認識に裏打ちされた冷静なリアリズムが備わっているからだろう。

ロシアのガジエフが書いた地政学の書『ゲオポリティーカ』（二〇一四年）を自家薬籠中のものにしながら、些末な事象の説明やメディア登場に跼蹐するだけの各地域事情専門家を尻目に、大局観と構図をわかりやすく説いた書物として評価したい。

■『歴史は実験できるのか　自然実験が解き明かす人類史』

J・ダイアモンド、J・A・ロビンソン編著　小坂恵理訳（慶應義塾大学出版会）

定量的手法がもたらす発見

歴史学は、理科の研究室のような操作的実験が不可能な学問である。

しかし、比較や計量的手法や統計は、歴史の研究でも用いられることが多い。多くの歴史学者は自然実験の類に懐疑的であり、史料を読みこむ実証や叙述による特定の地域や国の研究を得意とする。本書の執筆者一一人のうち、二人以外は経済学や経営学や地理学など異分野から比較の手法で歴史研究に挑戦している。

古代ポリネシア人から派生したハワイやマルキーズ諸島の人びとが古代国家をつくりながら何故に文字を発達させなかったかを問う方法と、二〇〇五年の民間銀行のローンが日本ではGDPの九八％なのにシエラレオネでは四％に過ぎないのを考える手法は、テーマの違いに惑わされなければ基本的に歴史学の古典的な手法でも説明できる。

他方、巨大なモアイ像のあるイースター島で社会が崩壊するほどの森林破壊が行われた理由を説明するには、統計的処理を必要とする。歴史学者が注目しない火山噴火や遠方から運ばれた火山灰の果たす役割、降水量と気温のデータを考えないと森林破壊の背景を理解できない。

アフリカの奴隷貿易はどうか。統計的処理をすると、かつて奴隷が輸出された地域は、されなかった地域より今では貧しい傾向が強いこともわかる。しかし、奴隷貿易が経済的相違を引き起こしたのであり、その逆ではないという結論は古典的な歴史学でも容易に導き出されるものだ。

また、インドで英国政府が直接に統治した地域は、間接統治の藩王国地域よりも今日(こんにち)では学校や舗装道路が少なく、識字率や電気普及率が低い。比較や統計的処理によるアフリカの奴隷貿易とインドの教育・電気の普及度の分析がもたらす結論は、意外に常識的なのである。

とはいえ著者らは、結論にたどりつくプロセスや影響度についての定量化こそ「実験」だと言いたいのだろう。奴隷貿易がなければ一人あたりの所得平均は、二六七九ドルから五一五八ドルの間になり、世界の他の国とのギャップの一二%から四七%は存在しなかったことになる。この驚くべき発見をもたらす定量的実験の手法に、古典的な歴史学も謙虚でなければならない。

■『日本4.0　国家戦略の新しいリアル』

エドワード・ルトワック著　奥山真司(まさし)訳（文春新書）

「江戸」「明治」「戦後」に続く危機は「北朝鮮」と「人口減少」

日本人には官民あげて戦略がないとよく言われる。戦略家のルトワックは、日本人が戦略下手どころか、すこぶる高度な「戦略文化」を持っていると反論する。何よりも、この四百年を見ただけでも日本人は、つねに「完全な戦略的システム」をつくり上げてきたというのだ。システムが危機に直面するたびに、包括的な新システムに更新してきた。

ルトワックは、徳川家康を「最高レベルの戦略家」と高く評価する。江戸幕府をつくった家康は、内戦を完全に封じ込め完璧な「ガン・コントロール」を作り上げて、敵を消失させる最高度の同盟戦略を江戸システムとして成功させた。この「日本1・0」とも言うべきシステムは、その後三百年近くも有効であった。明治の「日本2・0」、一九四五年以降の「日本3・0」を通して、日本はその時に最適のシステムと同盟を選びながら国を維持発展させてきた。

しかし、成功者の日本人にも目の前の大きな危機に実践的に対応すべきシステムの創出が迫られている。北朝鮮による核の脅威は予測不能の武力であり、抑止の論理が効かない点で先行きがわからない。

日本は自ら対処すべき方策を見出すしかない新たな局面に入ったというのが著者の見立てである。同盟で他者だけに頼り過ぎ、自らの負担や犠牲を考えてこなかった日本国民の責任も大きい。しかし、少子化問題や人口減少を安全保障と同じく「日本４・０」の最大の問題だと考える国民は、どのくらいいるのだろうか。子どもがいなければ納税者もいなくなり、そもそも安全保障の論議など何の意味もない。国がなくなるからだ。

スウェーデン、フランス、イスラエル並みの高水準の子どもケアシステムをつくらないと、高齢化して近視眼的に老人の権利を声高に主張する思考にも陥りやすい。妊婦に必要な出産費用、託児所などの無料化を図るべきだと考える著者の主張は説得力に富んでいる。団塊の世代以上の老人たちも「日本４・０」で自分の立つべき位置を考えることも大事ではないだろうか。

■『エネルギーの人類史』（上・下）

バーツラフ・シュミル著　塩原通緒（しおばらみちお）訳（青土社）

先史から現代へ変遷を見渡す

エネルギーは他の何にも代えがたい普遍通貨である。しかし、公平に使われるとは限らない。何よりも低所得社会では、伝統的なバイオマス燃料と生物原動力を基本としながら、化石燃料と電力の割合が増えている。他方、工業化したか脱工業化した高エネルギー諸国は、一人あたりの燃料消費量と電力消費量が飽和状態になるか、そこに近づいている。

著者によれば、歴史をエネルギーから時代区分するのは正しくない。確かに、イノベーションが進み、新しい燃料と原動力が広く採用された時代でも、国や地域によって大きな違いがある。エネルギー移行の進化的な性質を無視してはならない。たとえば、役畜と水力と蒸気機関は、産業化された欧州と北米でも一世紀以上も共存していた。木材の豊富な米国では、石炭が薪（たきぎ）を上回り、コークスが木炭より重視されたのは一八八〇年代にすぎない。

著者は、新エネルギーについてはいつも神話がつきまとったと語る。十九世紀の著述家は石炭を理想的なエネルギーとしたが、まもなく深刻な大気汚染、土壌破壊、健康被害に気がつく。その後に理想化されたのは電気だったが、貧困と病気を根絶できなかった。しかし、確実なのは今後数世代、今よりずっと多くのエネルギーを必要とすることだ。

歴史的に大きな時間枠でエネルギーを考える著者は、大昔から蓄積され転換された燃料を利用する高エネルギー文明は、芝居の幕間（まくあい）だと巧みに表現する。もっとも、化石エネルギーがいずれ枯渇するという考えはとらない。何故なら、入手できる化石燃料をすべて燃やすと南極の氷床がすべて溶けて海面が約五八メートルも上昇し、世界人口の大半が住んでいる沿岸部が水没するからだ。文明の伝統はそこで止まるだろう。

いずれにせよ、人類はこれから数世代もかけて新エネルギーへの移行を模索しなくてはならない。著者のシナリオはどうやら悲観的である。人間の宿命は短く情熱的かつ刺激的に浪費して生きることにあり、人はあがいて滅びるのではないか、と。肝心な点になると他人の言葉を借りるクセがあるにせよ、先史時代から現代までエネルギーの変遷を日本を含めて俯（ふ）瞰（かん）した本である。

■『人とことば』

日本歴史学会編（吉川弘文館）

古代から近現代史上の言葉にいまの政治家の限界を痛感

この未曾有の危機だというのに、首相からも、政府与党からも元気の出る言葉を聞かない。野党・都知事も国民が頼りにできる言葉を出せないでいる。しかし、本書を紐解けば先人の言葉に勇気づけられるか、歴史の本質を見出す人も多いはずだ。

日本史上最大の名言はおそらく板垣退助の「板垣死すとも自由は死せず」だろう。実際には「吾死するとも自由は死せん」だったという。「私は、名実ともに、〝無思想人〟であることを天下に宣言したい」というマスコミの帝王・大宅壮一の言葉も味わい深い。危機のときに無思想で生きるには非常に強い個性と人格を必要とするというのだ。自分の身は自分で守るという自覚は、〝無思想人〟たる決意から始まるのかもしれない。

野人肌の外交官・石射猪太郎は、「広田外務大臣がこれ程御都合主義な、無定見な人物であるとは思わなかった」と述べた。日中戦争の拡大を阻止する意志が乏しい広田弘毅への批判である。広田は小説家の文章で美化されすぎた。この大臣の個所に現在の大臣、与野党の党首・幹事長で読者が裏切られたと感じる人物の名を入れるなら、コロナ危機で露呈した現代日本の政治家の限界を痛感することだろう。

田中角栄に、「官僚主導の政治」を「国民の求めているところが十分に反映されない政治」だと批判した発言がある。しかし、当時の官僚は優秀であり、田中も官僚を扱う術にたけていた。国会で官僚をつるしあげるのを得意がる議員のいる世界に有望な若者は背を向けている。こうした議員を選ぶ有権者にはコロナ禍で戦略的発想を出せない政治家・官僚を生んだ責任の一端がある。

さて、平塚らいてうの「女性は実に太陽であった」も有名な言葉である。ただし、これには次の言葉が続く。「今、女性は月である。他に依って生き、他の光に依って輝く、病人のような蒼白い顔の月である」と。最近、自分を太陽と考え、相手の女性を月に擬えた男の大胆な発言を聞いて驚いた日本人は多い。その後、人びととの違和感が当たったのは歴史の怖さであろう。

■『世界神学をめざして　信仰と宗教学の対話』

W・C・スミス著　中村廣治郎（こうじろう）訳（明石書店）

二つのイスラームという視点

二〇二〇年七月十二日以来、南カフカスのアゼルバイジャンとアルメニアは軍事衝突を繰り返している。両国が「宿敵」同士だと報道する者もいる。トルコ系のイスラーム教シーア派国家とアルメニア教会の国家の対立と言いたいのだろう。原因は、領土問題はじめ政治的なものであり、単純に宗教に還元できるものではない。とはいえ、人間やその共同体の現実には、多少なりとも宗教の影響を受けた生活が浸透しているのも事実である。

ウィルフレッド・キャントウェル・スミスの『世界神学をめざして　信仰と宗教学の対話』は、歴史家が抽象化に熱情を抱くあまり、人間の宗教生活を低く見ることに警告を発している。スミスは、歴史とは特殊な事象とともに多様性の場であり、人間それぞれの意に沿わない現実や、人間的な要素が出会う場だと考える。その通りだ。

印象深いのは、「自分が他者にしてもらいたいと思うことを、他者にもせよ」というキリスト教徒の訓戒を引いていることだ。良質な宗教学者なら、他者の宗教的問題の理解に際して、自分自身にも適用できるか、少なくとも理解できる解釈原理や理論だけを示すべきだという。これはイスラーム教はじめ、どの宗教の信者も持つべき気構えではないだろうか。

それでは、歴史学者はどうか。「世界の歴史を通観する歴史家は、自分のものを含めてさまざまに宗教と呼ばれてきたものを、歴史的プロセスの複合体と見る」という指摘は正しい。しかしスミスを引くなら、異なる宗教が互いに「影響」しあうという表現は、あまりにも外的かつ受動的な印象を与え、本来は別々ではないことを証明するはずなのに、かえって二つの実体が別々に存在することを際立たせる。「影響」の強調は、親密なやり取りを無視し、両者の境界を必要以上に強く意識することになりかねない。

勤勉な信者が手に入れようとしてきた理想のイスラームと、スミスや私のような観察者が目にする現実のイスラームはしばしば違っていた。二つのイスラームは近似しているが、実在する信者は、偉大な前者でなく日常の後者を手探りしながら時に挫折を繰り返して歴史を進んできた。理想的なイスラームも人と時代によって変わるという意味では歴史を持っている。それを一つの固定した体系でなく「流れる河」に比喩するのは見事だ。

二つのイスラームという見方は、日本でも一九七七年の『イスラム　思想と歴史』（東京大学出版会）で提出されていた。その著者こそ中村廣治郎氏である。他方スミスの本書は八一年に出された。七九年のイラン・イスラーム革命を予見し、イスラーム国のような武装闘争派またはテロリズムが「理想的なイスラーム」の一潮流から生まれる危惧の指摘については、中村氏のほうがスミスより深みがある。とはいえ、スミスの学識と洞察力は二十一世紀の比較史・政治分析にも資する点が多く、現代イスラームをめぐる紛争の根源を広い視野から理解する手がかりになるだろう。

■『Humankind 希望の歴史　人類が善き未来をつくるための18章』(上・下)

ルトガー・ブレグマン著　野中香方子(きょうこ)訳(文藝春秋)

小社会では親切で共感力のある人が権力を得る

今日の非常識は明日の常識になりうる。人間は生まれつき利己的だというのは、現在の常識である。著者は逆にほとんどの人間が善だと信じる。キリスト教や啓蒙主義は、原罪や堕落という言葉で人間性について暗い見方を示してきた。しかし、目的が手段を正当化すると信じたマキャヴェッリの厚かましさを、実際にキャンプで試すと、こうした小社会は傲慢さを許さないことに気がつくものだ。

小社会で権力を手に入れるのは、いちばん親切で共感力のある人であり、最も友好的な人が生き残る。ブレグマンは「わたしたちが、大半の人は親切で寛大だと考えるようになれば、全てが変わるはずだ」という期待からこの書物を書いたのである。

著者に従って、他人に疑いを抱いたときには「最善を想定」すれば、相手がこちらを欺(あざむ)こうとしている場合であっても、こちらの「非相補的行動」によって相手も態度を変える可能性がある。良いことをすると気分がよくなるのは、すべての人が何らかの意味で勝者になる理屈にも通じる。著者は、万能だと自負する経営者や政治家やジャーナリストにもっと質問を浴びせるべきだと提案する。テレビで難民がインタビューされる光景を見ないのは、民主主義とジャーナリズムがたいてい一方通行になっているからだ。確かにカブール空港周辺で飛行機に乗り込む機会を必死にうかがうアフガン人にインタビューする光景を見たことはない。

結局、未来に向けた希望で大事なのは、他者の苦悩を自分も経験する「共感」よりも、苦悩を理解し行動するために役立つ「思いやり」なのである。共感と違って思いやりはこちらのエネルギーを消耗させない。優しさと気遣いは思いやりを呼び起こし、人間の可能性を豊かにして他人の理解をたやすくする。

テレビのニュースをあまり見ずに、繊細な新聞の日曜版や、もっと掘り下げた書物を読むことも大事だと著者は説く。優しさや思いやりは伝染しやすく、遠くから眺めている人にまで広がる。親切な行動は人びとを驚かせ、感動させるだろう。

こうしてブレグマンを読み進めると、江戸期の石田梅岩（ばいがん）の「心学」をつい思い出してしまう。日常で実践できる善意の道徳観を説く著者は梅岩を読んだ形跡がない。日本人なら二人を比較した読書も楽しめるだろう。

『服従』

ミシェル・ウエルベック著　大塚　桃訳　佐藤　優解説（河出文庫）

創作と事実が入り混じる、フランス仮想近未来

パリのソルボンヌ大学やパリ第三大学にムスリムの学長が誕生する。それどころか、フランス大統領にイスラーム同胞党なる穏健ムスリム団体の指導者モアメド・ベン・アッベスという人物が選ばれる……。ムスリム人口が移民や難民を通して急増するフランスの近未来を念頭においても、こうした事象がすぐ生まれるものではない。しかし、ミシェル・ウエルベックの新作『服従』は、歴史における事案と仮想を周到に混淆（こんこう）しながら、文学描写の中に文学研究、現状分析の中に未来予測をまぎれ込ませる。フランス政治の現状に疎い人なら、どこからどこまでが史実であり、虚構でないのかを見極めることがむずかしいほど、創作が事実の素描のなかに巧みに忍び込んでいる。

主人公は、大学でユイスマンスを研究しているフランソワなる四十がらみの独身男性である。学期ごとに恋人を女子学生の中から調達する快楽家であり、時にエスコートガ

ールなる訪問売春婦の世話にもなる。いたって俗っぽく、日本社会にも棲息するような、平凡だがやや狡猾（こうかつ）な中年男だ。この矮小（わいしょう）な男を中心に話が回るだけでなく、そこに女性同僚の夫たる諜報機関員や、十五歳の夫人をもつソルボンヌ大学のムスリム学長など、複雑な陰影を持つ知的な人物も配される。

話の筋は、右傾化の進む二〇一七年の大統領選挙で、社会党が敗北してファシズムに傾斜する極右の政治家が選ばれる可能性を背景に進む。極右の国民戦線が第一党になり、第二党にイスラーム同胞党が進出するなかで、得票数が減少した社会党はじめ、左翼はイスラーム同胞党とブロックを組むことでモアメド・ベン・アッベスが大統領になるというのだ。ベン・アッベスの狙いは格別にフランスの伝統を根こそぎ否定するものではない。それどころか彼は、拡大されたヨーロッパ初代の大統領になる野心を持っている。エジプト出身の英国人作家バト・イェオールは、陰謀史観を説いた『ユーラビア』で、湾岸君主制諸国が地中海諸国を含めたヨーロッパを屈服させることは必至と述べた。しかしアッベスは、むしろ対等の関係を維持する点において、ドゴールの野心を引き継いでいるというのだ。

左派がイスラーム同胞党とベン・アッベスを支持するのは、政治や経済の制御をすべて左派に委ねるからであり、ムスリムは人口と教育に関心を限定するからだ。初等教育から高等教育に至るまで、新時代ではイスラーム教の教育を受ける可能性を保証しながら、ほとんどの女性が初等教育を終えた時点で、家政学校に進んで早く結婚することが奨励される。社会党はイスラーム同胞党との間に、教育の二重性や一夫多妻制度を認める同意を成立させる。サウジアラビアなどは、フランスの大学に多額の寄付を惜しまず、私立のイスラーム学校はあっという間に公立学校のレベルを凌駕してしまう。

この本の特異な点は、ベン・アッベスの理想が古典イスラームへの回帰といった夢でなく、ローマ皇帝アウグストゥスをめざしながら、ヨーロッパをフランス中心の地中海帝国にする点にあると描いたことだ。もちろん、フランソワの勤務先、パリ第三大学は「パリ＝ソルボンヌ・イスラーム大学」と改編された以上、ムスリムでない彼は失職せざるをえない。とはいえ、給料を上まわる年金に魅せられて退職しても、学術業績の多いフランソワには復職への熱心な勧誘が繰り返される。ただし、それは彼がイスラーム教徒に転向すればの話だが……。その結末はいま触れないでおこう。

ムスリムが大統領になると、欧米の女性はすぐに不利益を被る（こうむ）のだろうか。著者は、生活や消費性向はすぐに変わらないと楽観的な立場を示す。たとえば、ムスリムの十代女性にふさわしい服飾に興味のないファッション・ブランド「ジェニファー」の寿命は長くない。反対に、ブランド下着を安価で提供する「シークレット・ストーリーズ」は、リヤドやアブダビでの人気同様に、何の心配もない。もちろん、「シャンタル・トーマス」や「ラ・ペルラ」といった高級下着ブランドは、イスラーム政権下でも営業できるだろう。裕福なイスラーム女性は昼中、まったく内部をうかがいしれない黒いブルカに身を包み、夜になると極楽鳥に姿を変え、華やかな下着の色と贅沢な宝石に綾どられた衣装を誇示するからだ。

「それとは逆で」と、著者による欧米女性の日常描写は鋭い。「日中は、社会的ステイタスが掛かっているから上品かつセクシーに装い、夜家に帰ればぐったりと疲れ切って、魅力を振りまこうなんて考えを放棄し、だらだらとリラックスした服に着替えるのだ」。

小説のように、社会党など左派がムスリム系の政党や大統領を支持する点には疑問の余地もある。しかし、もはやフランスを、金髪ガリア人の末裔たるカトリック市民の家として考える陳腐さから自由になるためにも、本書は佐藤優氏の解説ともども、読まれてしかるべき実験的作品といってよいだろう。

第三章

歴史上の名著

■『アルファフリー　イスラームの君主論と諸王朝史』1・2

イブン・アッティクタカー著　池田 修、岡本久美子訳（平凡社東洋文庫）

公平な者は異教徒でも望ましい

帝王学や政治の教科書として読まれてきた書物に、唐の太宗の道徳政治を扱った『貞観政要』や、政治を道徳から切り離したマキャヴェッリの『君主論』がある。そしてイスラーム世界では、モンゴル支配下の十四世紀のイラクで書かれた『アルファフリー』が代表的な作品と言ってよい。

イラクのシーア派指導者のイブン・アッティクタカーの書いた本は、モースルの総督に捧げられたために、その名をとって『アルファフリー（アルファ殿下に捧げる書）』と称せられた。この書物は、政治力と理解力、王者と知性との連関などを説いた序、君主の政治と政策を分析した第一章、イスラーム各王朝の統治の逸話を扱った第二章から成っている。

なかでも重要なのは第一章である。そこでは、王者の性質の根本として理性こそ最もすぐれたものであり、公正さも地域を繁栄させ、人びとが善良であるために王に必要な資質とされた。注目すべきは、異教徒でも公平な者こそ「イスラーム教徒の不義者より好ましい」という判断を下していることだ。

これはイスラーム法に立脚した統治論とは異質な見方である。しかし、知識は「理性の果実」であり、王に知識がなければ「何もかも踏みつけて通る荒れ狂った象のようなもの」になってしまうのだ。

かといって、王者は学問に深入りする必要もないとたしなめる。望ましい知識とは、「学問の専門家と相談し、当面する困難状態をそれによって克服することを可能にする程度に学問に親しむ」ことを意味する。政治家は学者になる必要がなく、必要なときに学者を活用すればよいのだ。これは、現代にもあてはまる真理であろう。

いと高き神を畏(おそ)れるのも王者に望まれる資質であり、罪を許し過失をおおらかに許すのも大事である。後者によって「人心は引きつけられ、人の感情は良くなる」とは、コーランにいう「赦して見逃してやるべきである」という教えを意識しているからだろう。イブン・アッティクタカーは、人が過ちの上に成り立つ以上、怒りや憎悪に王者がからめとられるべきでないと忠告した。このためにアラブの一詩人の作品が引用されている。

私は彼らに対する古くからの憎悪を抱かない
民の統治者たる者は憎悪しないからである

王者に望ましい徳目として、気前よさも欠かせないという。もし王者が贈り物を何ひとつ与えなければその王者は滅びるだろう、と詠（うた）った詩人さえいたほどだ。畏敬されることや政治力に加えて、約束を守ることも大事である。政治力は「資本金のようなもの」であり、約束は契約と同じなのだ。イスラームでは不履行が認められないからである。したがって、王に曖昧さは許されない。他方、王者に欠如しているのが望ましい特質もある。イブン・アッティクタカーは、人の所論を引いて、まず何よりも王者は怒ってはならず、嘘をついてもならないとたしなめる。性急さ、嫌気、倦怠、退屈も王者にふさわしくない。

王は、臣民に対して「同情し、彼らが過ちをおかしても堪忍してやる」ことが大事である。十字軍戦争の英雄サラーフ・アッディーン（サラディン）は、情け深いことで有名であった。入浴して熱湯を誤ってかけられ火傷をしても小言を一つもいわず、冷水をかけられ気を失っても、今度余を殺そうとするときには一言教えてくれ、とユーモア交じりに語ったらしい。

これこそ理想的な王者の徳目なのだろう。反対に、王が嫌われる事例に、悪者や低俗な愚か者と交わることがあげられ、家臣の選択を間違うことも非難されている。女性に夢中になりすぎ、彼女らに相談するのも禁物だとイブン・アッティクタカーは言うのである。

統治は、臣民の種類に応じて違うかたちでなされるべきだとも言う。上流階級は「高貴な人格とやさしい指導」で治められる。中流階級は「飴と鞭」、大衆は「恐怖と正道への義務づけ、明白に正当なものへの強制」によって統治されるというのだ。王者は、病人に対する医者の心得で接するべきであり、「すぐれた感受性や健全な識別力や澄み切った思考力や完全な注意力や完璧な賢明さなど」も必要なのだ。享楽に溺れ、音曲に夢中になり、時間を浪費するのはよくない。善行には見合う褒美を与え悪行には相応の報復を加えるべきだと著者は語る。これは、臣民が常に王者の親切を求め、厳しさを恐れるようにするためである。

政治とは、家庭、村、都市、軍、王国の五つを治めることだ。家庭をよく治められても、大事を治められず、王国を治めても家庭をよく治められない者もいる。

「臣民が恐れる支配者のほうが、臣民を恐れている支配者よりすぐれている」。この言は、中東イスラーム世界の近現代史の特質を理解する手がかりともなるだろう。イスラームに興味がなくても広く政治や行政に関心を持つ人に読んでほしい古典の訳出を喜びたい。

■『知恵の七柱』1〜3

トマス・エドワード・ロレンス著　柏倉俊三訳（平凡社東洋文庫）

歴史に学び「畏怖」を知る

イラクに駐留するアメリカ軍将校の間で、読書を最も奨励される本がある。それは『知恵の七柱』なのだ。この報道に接したのは、三、四年ほど前のことである。「なぜいま頃になって――」と、驚きとも哀れみともいえぬ暗澹たる気持ちに襲われたものだ。

『知恵の七柱』は、「アラビアのロレンス」こと、文学的才能にあふれたトマス・エドワード・ロレンスの回顧録である。第一次世界大戦中、彼は英陸軍の現役将校として、アラブ地域での対オスマン帝国戦を指導し、時に部隊を指揮したこともあった。その経験を基に、トルコ軍に対するゲリラ戦の経緯や、アラブ独立運動指導者たち（中心はベドウィンの部族長）の思想と行動、各部族の生活習慣などを、砂漠の苛酷な気候風土や生態系の叙述と共に克明に描き出したのが『知恵の七柱』である。

考古学者上がりの情報将校だったロレンスは、文人としても傑出した才能の持ち主であった。この書によって初めて、欧米の一般市民はアラブ世界の何たるかを知った。史実の正確な記録ではなく、オリエンタリズムの偏見に浸っているという批判はあるにせよ、ゲリラ戦の戦史や方法論としての価値は否定されていない。大国の正規軍の論理からはとうてい予測できない、砂漠での「不正規戦」の特殊な手法が余すところなく書き記されているからだ。毛沢東もゲリラ戦術をこの書物に学んでいた。

ベトナム戦争当時、北ベトナム軍や南ベトナム解放民族戦線は、同書を参考にして作戦を練ったと言われる。彼らは、圧倒的なアメリカ軍の兵力と物量に対抗するために歴史に学び、そして勝利した。負けたアメリカはこのとき、自分たちがなぜ撤退に追い込まれたのかを学ぶべきであった。

三十年を経ずして、アメリカは同じ失敗を、イラク戦争で操り返すことになる。ハイテク兵器の圧倒的破壊力をもってしても、神出鬼没のゲリラ部隊を完全に掃討することなどできない。歴史に学んでいれば、問題点は明らかだったはずである。

歴史に学ぶとは、単に軍事戦略面で過去の理論や手法を知ることではない。歴史を探究することで、強者が弱者に負け、成功者がまたたく間に敗北者となって表舞台から消え去る「歴史への畏怖」を知る意味が大きい。

ジョージ・W・ブッシュ大統領をはじめラムズフェルド国防長官など文官の指導者たちが、開戦前に『知恵の七柱』を読んでいたとは考えられない。アラブ民族のゲリラ戦について英語で書かれた格好の教科書があるというのに、ゲリラ戦の何たるかの教訓を学ぶことなくイラクに攻め入り、その結果多くの人命が失われたのである。指導者たちの無知と傲慢さは厳しく非難されるべきだろう。泥沼化し単独覇権の失敗が確実になった頃に、『知恵の七柱』を将兵たちに読ませても遅きに失したというほかない。

ひるがえって、日本はどうであろうか。明治維新以降、急速な近代化と経済成長を遂げ、日清・日露戦争そして第一次世界大戦に勝利した日本では、その目覚ましい成功体験のせいで歴史への畏怖を忘れた政治家や軍人の暴徒が第二次世界大戦の敗戦の悲劇を招いた。そして再び、戦後の日本人がゼロから築いた経済成長の歴史を、現在の脆弱なリーダーたちが潰そうとしているのだ。

政治家や経営者は、おのれの無知や傲慢さをいましめるためにも、歴史を学び、歴史を畏怖する重要性をあらためて嚙み締めるべきだろう。

■『地中海』1～5

フェルナン・ブローデル著　浜名優美訳（藤原書店）

地中海がまるで感情に突き動かされているような叙述

学問の成功は、その素材や着想の妙で決まることが多い。アナール派の総帥フェルナン・ブローデルが、古来魅力あふれる地中海をテーマにして歴史の叙述を構想したとき、作者の能力や天稟（てんぴん）を知る者にとって、その仕事はあらかた成功が約束されたも同然に思えたかもしれない。しかし、完成した作品は、人びとの予想をはるかに超える出来映えであった。その著作『地中海』が、ヨーロッパ史はもとより、イスラーム史にも新鮮な刺激を与える歴史学の金字塔となったことはいうまでもない。

ブローデルの『地中海』が多くの信奉者の賛嘆を得てきた理由の一つは、そこに描かれる地中海がまるで人間そのものが呼吸しながら生きているかのように、複雑な感情の起伏に突き動かされているからである。実際にブローデルは、アルプスやカフカースなど広く果てしない山脈を「きわめて力の強い、気難しい人物」と擬人的に表現する。

地中海の風景は人間にとって絶えずなじみやすい隣人なのである。また、ブローデルは、地中海の風物を描写するにあたって、山地から筆を説き起こして人びとを驚かせる。地中海とは、陸地に締めつけられた海である以上、山地の間にある海でもある。海を抑えつけている陸地同士を区別するうえでも、地中海を論じる際に、境界となる山地を念頭に置くのは、正鵠（せいこく）を射ている。

山地の雪や氷を導きの糸にして、十二世紀にサラディン（サラーフ・アッディーン）がリチャード一世に贈呈した「雪の水」から、地中海の東西文化交流を説きおこす冴えは見事という他ない。十五世紀から十六世紀の地中海世界では、雪の水やシャーベットやアイスクリームなどが高級食品としてだけでなく、「この上なくよく効く薬」としてヨーロッパで珍重された。一五五三年に、あるヴェネツィア人は、「我々が料理に砂糖を使うのと同じように、モール人が雪を料理や食物に撒き散らす」のを見てびっくりしたという。

山地が海に接する平地と比べて特異なのは、文明をいささかも持たずに、ほとんどいつも文明普及の大きな流れの周縁にあることだというのが、ブローデルの見解である。十六世紀にイスラームもカトリックも勢力拡大に苦しんだのは、この山地においてであった。山地ではしばしば仇討ちがおこなわれるが、その理由は中世の封建的な正義の思想が山地には十分に浸透しなかったからである。

ベルベルの国々、コルシカ、アルバニアに限らず、中東のクルド人やドゥルーズ人の居住地が「自由の聖域」であったのも、そこが険しい場所だった事実と無関係ではない。

＊

いずれにせよ、地中海には、中国、日本、インドシナ、インド、マラッカ半島など、「極東では当たり前の錠前をかけられたように閉鎖的な山」というものはない、とブローデルは看破する。つまり、地中海の山は街道に開けていて、街道がいかに険しく、曲がりくねり、でこぼこであっても、人びとはその街道を歩く。街道は「平野の延長のようなもの」であり、高地の国々を横断するような、平野の力の一種だというのである。

こうしてブローデルは、山地と地中海との関係を次のように結びつける。

「山の生活が四方に広がり、惜し気なく与えられて、海の歴史全体を豊かにする。おそらく山は、その起源において、この海の歴史をつくりさえしたのだ。なぜなら山の生命はたしかに地中海の最初の生命であったように思われるからだ」

ブローデルは、「最も大きくとった地中海」の広がりを説明するために、山地だけでなく砂漠やステップの表情も読みとろうとする。これらの地形に支えられるのは、いうまでもなくイスラーム世界である。ヨーロッパ人にとってライヴァルたちが住む世界を通る金と香辛料のキャラヴァンが、地中海の船に荷積みされるまでの多種多彩なルートについても、ブローデルは公平に紹介の労を惜しまない。しかし、ブローデルをもってしても、イスラーム世界との関わりについてはいくつかの偏見を隠しきれなかった。

ブローデルが依拠する「イスラーム世界とは砂漠である」という認識は、「イスラームとは都市の宗教である」という現在のイスラーム史家の常識と相反している。バザールや隊商宿がイスラーム文明の特徴だというのはひとまずおくとしても、イスラーム世界が「移動である」のは砂漠の宗教だからではなく、都市ネットワークに沿った商業の移動的性格に負うところが大きい。この力作の微細な部分にあえて拘泥(こうでい)することが許されるなら、ブローデルの次のような指摘に、日本のイスラーム研究者の多くは同意できないのではないだろうか。「イスラーム世界とは、整合的なものも不整合的なものも含めて、人間的現実に関して砂漠が前提としているものの全体である」。

＊

　こうした発言は、この書物の第二版が一九六六年に発表されたことを考えるとやむをえないと言うべきであろう。しかし、ブローデルの才能は、イスラームの栄光とされる実体の弱さを見抜く鋭さも欠いていなかった。「慢性的に人間が不足していること、技術が不完全であること、内紛が絶えないこと」。とくに、「宗教は内紛の原因であると同時に口実である」という指摘は、現代の中東イスラーム世界を念頭においても、決して間違っていない。また、次のような議論は、何によらず欧米の研究者の指摘を〈オリエンタリズム〉として揚げ足をとりがちな人びとが説明できない、イスラーム世界の衰退原因に迫る手がかりを与えてくれる。

「最後の弱点として、イスラーム世界はやがてある種の成功、つまり自分たちは世界の中心にいる、有効な解決策を見い出したから他の解決策を探す必要はないという快適な感情にとらわれる。アラブ人の航海者たちはブラック・アフリカの二つの顔、すなわち大西洋の顔とインド洋の顔を知っていて、大西洋がインド洋と結びつくことに勘づいていながら、そのことを心配したりはしない……」

　オスマン帝国の衰退を地中海との関連で論じる箇所も、現在のトルコ史研究の観点から見て決して侮れるものではない。

「オスマン・トルコは時代遅れになった紛争のなかでスルタンを雇い、スルタンに対しては本当の問題を隠蔽する。一五二九年には、すでに始まっていたスエズ運河を掘ることをやめ、一五三八年には、ポルトガルとの争いには徹底的に踏み込まず、境界地域の誰もいない土地の真ん中で兄弟殺しの戦争でペルシャと衝突する。一五六九年には、低地ヴォルガ地方の征服に失敗、絹の道再開をおこなわず、本当の問題はあの魔法の世界、地中海から抜け出すことであるのに、地中海で無益な戦争にのめり込む。それだけ多くのチャンスを逃したということだ……」

こうした鋭い箇所に照らすと、イスラーム史に関する小さな瑕疵（かし）はとるにたりない。同じように、この大著の全訳に取り組んだ訳者の労からするなら、オスマン人を意味する「オスマンル」の英仏語による複数形をオスマンリスとそのまま表したり、カザンやアストラハンをロシア語風にカザニやアストラハニとすることなどに違和感を覚えるのは、むしろ評者の狭量というべきであろう。ここでは、全五分冊から成る予定と聞く大著の訳出に取り組まれた訳者と出版社の器量にまずは敬意を払うのがふさわしい。

■『言志四録』

佐藤一斎著　川上正光全訳注（講談社学術文庫）

歴史で混沌を乗り切る

日本人にとって、老境や混沌を乗り切る知恵を与えてくれる人物がいる。江戸後期に名著『言志四録』を書いた儒学者・佐藤一斎にほかならない。

一斎から老いの人生訓について学ぶところは多い。彼は、精神を疲労させないことは養生であり、身体を働かせることも養生だと唱えた。しかし、一斎は、晩年に休息をとることだけを勧めたわけではない。むしろ、六十七歳以降の或る時期に、「養生の工夫は、節の一字に在り」（「言志晩録」一八〇）と書いたように、何事にも行き過ぎず、休息にも思考とのバランスをとるべきだと考えていた。東日本大震災後に政治家や経営者のリーダーシップが問われ、世の行方に混沌の様相がますます漂っている現在、老年になって歴史を学ぶ意味を強調する一斎には教えられる点も多い。

佐藤一斎は、五十七歳のときに書き起こした文章の中で、人の一生は幼時と老後のときを除けば四、五十年くらいにすぎず、見聞する範囲は歴史の一片にも及ばないと述べていた。そこで大事なのは歴史書を読むことであり、それによって昔から今に至る数千年の事柄が自分の胸の内に広がり、痛快このうえないというのだ。歴史書を読む際には、人の心の動きと、事件の変わり具合に着眼せよと懇切に助言してくれる。

「人の一生の履歴は、幼時と老後を除けば、率ね四五〇年間に過ぎず。其の聞見する所は、殆ど一史だにも足らず。故に宜しく歴代の史書を読むべし。上下数千年の事跡、羅ねて胸臆に在らば、亦快たらざらんや。眼を著くる処は、最も人情事変の上に在れ」（「言志後録」四八）

混沌を生きるというのは、どこかに自分を納得させる人生の指針を持つということだ。そのために書物を読むのは古今東西どこでも、いちばん確実な拠り所になる。とくに歴史書を読むと学ぶことが多い。こう語る一斎は、歴史に生きた聖人や賢者豪傑でさえ体も魂も皆死んだと思うと、頭を垂れるほど悲しくなると告白する。それでも、かれらの精神が今なお健在だと思うと、眼を開いて奮い立つと元気なところを見せる。

「吾れ書を読むに方り、一たび古昔聖賢豪傑の体魄皆死せるを想へば、則ち首を俯して感愴し、一たび聖賢豪傑の精神尚ほ存するを想へば、則ち眼を開きて憤興す」（「言志録」一四二）

　これはまだ四十代から五十代にかけての或る時期に書いた文章である。私たちも映画や小説に接して、フィクションや脚色であると知りながら、むやみに主人公へ感情を移入し情景に興奮した経験を持っている。しかし一斎は、八十歳を過ぎても、きちんとした歴史書を読みなさい、と私たちを諭すかのようだ。儒学の経書と歴史との関係は、法律と判例のようなものであり、事跡を書いたものはすべて歴史なのだからと主張する。具体的な事物に即して考えよというのだろう。『易経』は天地自然の道理、『書経』は政治、『詩経』は人の性情、『礼記』は人の交わりについて触れており、『春秋』が春秋時代の事跡を書いた歴史書であることは言うまでもない、と。

「史学も亦通暁せざる可からず。経の史に於けるは、猶ほ律に案断有るがごとし。推して之れを言へば、事を記すものは、皆之れを史と謂ふべし。易は天道を記し、書は政事を記し、詩は性情を記し、礼は交際を記す。春秋は則ち言ふを待たざるのみ」(「言志耋録(てつろく)」二三一)

　それにしても一斎先生は、歴史書の『春秋』だけを必読だと言っているのではない。きちんと四書五経の一部を挙げてこれらを当然読むべしとこともなげに語るのだ。だから、時間がいくらあっても足りないほどだ、と。若い時分につまらぬ本にうつつをぬかすと老いてから苦労するよとやや五月蠅(うるさ)いのだ。小説・軍書本・民間伝説・芝居の筋書きといった書き物は、淫靡（いんび）な声や美しいかんばせのようなものだから近づかないほうがよい。自分も若いときに好きだったので、これらの本を読んだが、今になってしばしば後悔している、と一斎は語る。

「稗官（はいかん）・野史・俚説（りせつ）・劇本は、吾人宜しく淫声美色の如く之れを遠ざくべし。余年少の時、好みて此等の書を読みき。今に到りて追悔すること少からず」（『言志耋録』二二五）

かく言う私について言えばもう手遅れだ。若い頃に駄本を読んだだけでなく、今でも歴史学者でありながら各種小説を読み、歌舞伎文楽の類を観にいくのだから処置なしなのだ。しかし、混沌を深める現代、それもイスラームという一筋縄でいかない歴史を扱う学者なら、「稗官・野史・俚説・劇本」を読まないと混沌の解剖もできないと好い加減な自己正当化を図っている。さあ、読者の皆さんも私と一緒に、これからもどしどし面白い本を読み、毎日のように「追悔すること少からず」と混沌のなかを自由に楽しく生きることにしませんか。ただし歴史の本もきちんと読むのですぞ。さすれば、一斎先生も仕方のない連中だと泉下でさぞかし苦笑しながら許してくれるはずです。

■『留魂録』

吉田松陰著　古川　薫全訳注（講談社学術文庫）

青春の日にいちばん感動した作品

安政の大獄に連坐した吉田松陰（一八三〇―五九年）は、死を必至と覚悟してから、友人門下に向けた遺書として『留魂録』を認めた。松陰に格別の関心のなかった私でも、もし青春の日にいちばん感動した作品は何かと問われるなら、ためらわずに『留魂録』をあげるだろう。

この「今日死を決するの安心」を何度熟読したことだろうか。死を論じていながら沈着な文章が読者に静かに伝わってくる迫力、死と和解したといってもよい落ち着き、これらは成長過程にありながら目標を定めえず精神的に彷徨する若者に不思議なやすらぎを与えた。実際に、大西巨人『神聖喜劇』（第三部）のなかにも、虚無主義者の主人公東堂太郎が「ある刻薄な自虐的快感」にまみれながら、『留魂録』の一段をつぶやく情景が出てくる。

かなり以前に山口大学に集中講義に出かけたことがある。萩の松陰神社に立ち寄った際に、吉田松陰自筆の『留魂録』の影印を初めて手に入れた。伝馬町の牢獄で薄半紙四つ折十枚に和文で細書したものが、三宅島に流された同獄囚沼崎吉五郎の手で後世に残されたのである。松陰ほどの人物でも齢三十の若さが自ずからにじみでる筆跡を見たときに、事業半ばで斃れざるをえなかった英才の無念さに思いあたった。

松陰はつねに可能性を求めて命のある限り努力した男である。死にたくなかった人間が、内からわきおこる鬱勃たる力を抑えて死に就く覚悟を記した書が『留魂録』なのである。大佛次郎は『天皇の世紀』の第二巻「大獄」で刑死直前の松陰の心理を鮮やかに描いている。

「死の影の中に身を沈めては浮上して来て、一見、空しきに似た希望を揺り起す。死は鎌を研いで支度を終わっているのだ。既にこの運命に抵抗出来ない松陰は自分で納得して生を断念し死を承認しなければならなかった」

吉田義卿こと松陰は、近づく死をどう迎えるのか。その短い人生が決して無価値ではなく、死が無駄死でないことを自らにどう言い聞かせるのか。

「今日死を決するの安心は四時の順環に於て得る所あり。蓋し彼の禾稼を見るに、春種し、夏苗し、秋苅り、冬蔵す。秋冬に至れば人皆其の歳功の成るを悦び、酒を造り、醴を為り、村野歓声あり。未だ曾て西成に臨んで歳功の終るを哀しむものを聞かず。吾れ行年三十、一事成ることなくして死して、禾稼の未だ秀でず実らざるに似たれば惜しむべきに似たり。然れども義卿の身を以て云へば、是れ亦秀実の時なり。何ぞ必ずしも哀しまん。何となれば人寿は定りなし。禾稼の必ず四時を経る如きに非ず。十歳にして死する者は十歳中自ら四時あり。二十は自ら二十の四時あり。三十は自ら三十の四時あり。五十、百は自ら五十、百の四時あり。十歳を以て短しとするは蟪蛄をして霊椿たらしめんと欲するなり」（片仮名は平仮名に改めた）

　醴とは甘酒、禾稼とは穀物を指し、西成とは秋に物の成熟するをいう。松陰はここで、数え三十の自分が志を果たさずに死ぬのは、穀物が成長せず、実もつかない状態に似ているのだから残念なようにみえる、という。しかし、松陰自身として言えば、これもまた秀実の時であり、必ずしも悲運を嘆くにあたらないとも言い切る。

　人の寿命は定めのないもので、人生は穀物が必ず四季を経るのとは違う。十歳で死ぬ者にも、おのずから十歳のなかの四季が備わっており、各歳相応の四季があるのだ。十歳では短いというのは、数日しか生きられないひぐらしをして、何千年も経過した椿の霊木にしようとするものだ、といい、松陰は自らを励ます。

「百歳を以て長しとするは霊椿をして蟪蛄たらしめんと欲するなり。斉しく命に達せずとす。義卿三十、四時已に備はる。亦秀で亦実る。其の秕たると、其の粟たると吾が知る所に非ず。若し同志の士、其の微衷を憐れみ継紹の人あらば、乃ち後来の種子未だ絶えず。自ら禾稼の有年に恥ぢざるなり。同志其れ是れを考思せよ」

自分は自分なりに成長もし、実りもした。ただし、それがしいなであるか、十二分に実の入った穂であるかは知らないとは、松陰らしい恭謙の辞ではないか。自分は地に落ちる一粒の種にすぎないが、もしその精神を受けついでくれる人がいるならば、おのずから穀物が熟するのに恥じないだろう、というのである。あたかも、イエスが「一粒の麦」に仮託して啓示した真理にもつながる優渥なる教えではないだろうか。

それでいて独特な律動感を伴う雄渾な文章というほかない。もし「遺書文学」というようなジャンルがあれば、『留魂録』は東西の筆頭に位置するに違いない。たんに志の高さや、生死への勇気だけでなく、死に臨んでも失わなかった他人への思いがこの文章の気品を高めている。その末尾には、大獄に連坐した諸士ばかりか、高杉晋作・久坂玄瑞・伊藤利助（博文）など弟子の未来を気づかう文が連ねられている。

死を前に苦しいはずの人が自分のことばかり考えていない。これが夢と希望を素直に弟子に託せる良質の教師の資質というものなのだろう。松陰神社で『留魂録』を求めた折、自然に「松陰先生」という敬称が私の口からついて出たことも、その辞世の悲痛さとともに懐かしく想い起こすのである。

身はたとひ武蔵の野辺に朽ちぬとも留置(とどめお)かまし大和魂

（山口県萩市・松陰神社社務所）

■『復興亜細亜の諸問題』

大川周明（中公文庫）

現在の国際秩序の理解に資する、先駆的な予見書

大川周明といえば、東京裁判で東条英機の頭を叩いて精神の異常を疑われた国家主義運動家として知られる。その代表作『復興亜細亜の諸問題』は、まとまったアジア主義の古典であり、『新亜細亜小論』は数篇の論文をまとめた戦争時局論である。前者は、第一次世界大戦後に、革命ヨーロッパと復興アジアの潮流が結びついて、欧米の帝国主義を倒す流れが出現すると説いた。「ボルシェヴィキの東漸政策」は、第一にボルシェヴィズムそのものの宣伝であり、第二はアジアにおけるヨーロッパ資本国家の駆逐である。「第二の目的に於て、ボルシェヴィキとアジアとが、全然相一致することは言うまでもない。共通の敵たる西欧列強と戦うことに於て、両者が握手することに何の不可思議もない」。

すなわち大川は、イスラームとソビエトの動向がアジアの将来を決する鍵になると予測したのである。ここから進んで大川は、アジア復興の先鞭（せんべん）をつけた日本にイスラームやソビエ

トとの提携を勧めて、欧米本位の国際システムを終わらせるという野心的な構想を描いたようだ。

しかし、日本は提携すべき中国と泥沼の戦争に入っただけでなく、蔣介石を米英と同盟させた結果、勝算のない大戦争に突入したのである。日本とアメリカは、それぞれ太陽と衆星を象徴としており、あたかも「白日と暗夜」の対立を意味するがごとき関係にあると『新亜細亜小論』のなかで断定する。アジアの「唯一の綜合者」は日本であり、「欧羅巴」（ヨーロッパ）の「最後の登高者」はアメリカなのだ。

こうして大川は、真の世界史とは、東西両洋の対立・抗争・統一の歴史であり、東西の決戦によって常に向上の一段を登ってきた。日米は、ギリシアとペルシャ、カルタゴとローマが戦わねばならなかったように、戦うべき運命にあったと主張する。それでも、自由を得たインドと、覚醒せる中国と団結することが「大東亜共栄圏」成功の条件だと、あくまでもアジア解放こそ日米戦争の帰結を左右すると語るのだ。

『新亜細亜小論』では、日支事変（日中戦争）の解決と南方への進出が日本の願いであり、日支が協力すればアジア解放の大業も容易に成功すると楽観視した。両国が「亜細亜モンロー主義」を声明すれば、侵略主義のアメリカも、これを承認する以外に方策は見当たらないからだ。「此の千載一遇の大機に於て、何時まで両国は相戦わねばならぬかとは、国民総体の憂である」。この指摘自体はまことに正しい。現在の日中関係やイスラームの状況を理解するうえでも、大川周明の議論は先駆的な問題提起として無視できない内容に溢れている。

■『回教概論』

日本のイスラーム・中東研究の原点

大川周明（ちくま学芸文庫）

大川周明は、大東亜共栄圏を思想的に正当化した国家主義者として有名であるが、精神病のために松沢病院に入り、やがて快癒後にコーランの和訳に従事した事績はあまり知られていない。しかし大川は、戦前からイスラーム研究の重要性に着目し、インド哲学などを学んだ後に本書『回教概論』をすでに昭和十七年に出版していたのだ。

この本の凄みは、中国研究者の竹内好（よしみ）も言うように、実に要領よくイスラームの基礎知識を一冊にまとめた点にある。「アラビア」の風土から始まって、預言者ムハンマドの伝記、コーランとハディース（ムハンマドの言行録）はもとより、信仰の内容と儀礼、教団国家の歴史、イスラーム法学の内容にも触れている。漏れているテーマがあるとすれば、イスラーム神秘主義（スーフィズム）くらいのものだろう。

竹内は「この本の右に出るものは、当時もそれ以後もなかったのではないか」と誉めている。もっとも、解説者の中村廣治郎もコメントするように、その前年には井筒俊彦が『アラビア思想史』を書いており、井筒の本が哲学や神学の視角から内的なイスラームを扱ったとすれば、大川の書物は法学的関心から外的なイスラームに接近したと語るほうが正確であろう。

『回教概論』には誤解もないわけではない。たとえば、イスラーム信仰の基本である「五柱」の第一を「信仰告白」と正しく記しながら、それが「信」に属しており「行」ではないと考えて、他の四柱に「清浄」を加えて「五行」としているあたりはおかしい。

また大川は、ムハンマドが礼拝儀礼などをユダヤ教やキリスト教から学んだとよく書いているが、コーランは神の言葉でこそあれ実在の人間ムハンマドの言葉ではありえない。この点、中村が正しく触れているように、コーランの歴史性を明らかにするのは重要であるが、コーランがムハンマドの手になる書物でもあるかのような表現には、読者としても深く注意をする必要がある。

とはいえ大川の『回教概論』については、現代日本のイスラーム研究を牽引してきた中村も「今日なお学術的価値をもっている」と折り紙を付けるほどなのだ。しかも、漢学の素養をもつ大川による独特な術語や言い回しは、流麗なだけではなく、叙述にそこはかとない緊張感とメリハリを与えている。

それにしても、国家主義者の大川は何故にイスラームに関心を持ったのだろうか。解説にあたった中村は、キリスト教世界を圧したイスラームの広がりのなかに、皇国の大義に立つ大東亜の盟主日本が共栄圏をつくり「世界の道義的統一」を実現する夢を見ていたのではないか、と推論している。私もまったく同感である。あるいは、夢と同時に理想実現の手法とモデルをイスラーム大征服運動のなかに見出（みいだ）したというべきかもしれない。

大川の評価は、現代日本では分かれている。しかし、彼の刺激を受けた人脈から、井筒俊彦や前嶋信次のように、戦後日本のイスラーム研究を切り開く俊秀が出たことも間違いない事実なのだ。その意味でも、日本のイスラーム学や中東研究の原点として本書を読む意味はまことに大きい。中村の的確な解説は、大川周明と日本人のイスラーム観の理解を助ける導きともなっている。

■『最終戦争論』

石原莞爾（中公文庫）

戦争と平和の弁証法

「世界人類の本当に長い間の共通のあこがれであった世界の統一、永遠の平和を達成するには、なるべく戦争などという乱暴な、残忍なことをしないで、刃に衅らずして、そういう時代の招来されることを熱望するのであり、それが、われわれの日夜の祈りであります。しかしどうも遺憾ながら人間は、あまりに不完全です。理屈のやり合いや遺徳談義だけでは、この大事業は、やれないらしいのです」（『最終戦争論』より）

これは、昭和陸軍最大の戦略家、石原莞爾（一八八九―一九四九年）が披瀝した独特な戦争観の一部である。

私などは、物心ついてから、微醺を帯びた父が幾度となく、「だから言わんことでない、石原の述べた通り日本は負けたではないか」と独り言つのを聞いたことがある。また、「世界の動きを見よ、石原の予言した通りだよ」などと私を相手に語ることもあった。小学生くらいの私に石原が何者であるか知るすべもなかったが、不思議な魅力を持つ軍人であり予言者的な人物であることだけは朧気（おぼろげ）ながら感得できた。その後、歴史に興味を持つようになって、石原莞爾が関東軍作戦主任参謀として満州事変の立役者だったことを知ったが、それでも父の言う日蓮宗信者の石原像とはなかなか焦点を結ばなかった。

　私のなかで変化が起きたのは大学に入学した頃である。クラウゼヴィッツ『戦争論』と前後して接した書物のなかに、石原莞爾『世界最終戦論』があった。孫子やレーニンを読むのと同じ関心から、石原を〈再発見〉したことだけはよく憶えている。軍閥を憎むことを教えられてきた少年にとって、戦争をなくして〈国際平和〉をさぐる道を戦略的に考える軍人がいたという事実が新鮮な驚きであった。感心したのは、戦争の性格を決戦戦争と持久戦争に区分して、世界史を戦争様式の交代から論じた着想の冴えである。石原が後に『最終戦争論』と改題される書物の原型を初めて講演したのは、昭和十五年（一九四〇）であり、国民を塗炭（とたん）の苦しみに追い込む日米開戦の一年以上も前のことであった。

　石原は、「戦争発達の極限が戦争を不可能にする」と述べて、その極限に達する「この次の決戦戦争で戦争が無くなる」と論じた。つまり、「世界がこの次の決戦戦争で一つになる」というのだ。石原は、まず第一に武器の発達についても誰もが予見できなかったような洞察を加えている。

人類はやがて「無着陸で世界をぐるぐる廻れるような飛行機ができる時代」を迎え、「もっと徹底的な、一発あたると何万人もがペチャンコにやられるところの、私どもには想像もされないような大威力のもの」「自由に成層圏にも行動し得るすばらしい航空機」も出現する。決戦戦争を経験して、「人類はもうとても戦争をやることはできない」ということになって、平和が訪れて世界が一つになるというのだ。原水爆、大陸間弾道弾の発明はもとより、スター・ウォーズ計画（ＳＤＩ）の可能性さえ見通していたというと過褒（かほう）になろうか。

第二に、老若男女全部が参加を強いられる次の決戦戦争では「国民の持っている戦争力を全部最大限に使う」ことになるが、それが点や面ではなく「体の戦法即ち空中戦」が中心になると予測する。これも米軍による日本本土の絨毯（じゅうたん）爆撃など未曾有の惨禍を想い出すまでもない。石原は、真の決戦戦争ともなると死を覚悟する軍隊などは目標たりえないと断定する。むしろ、「最も弱い人々」や施設、工業や政治の中心が徹底的に破壊される。「老若男女、山川草木、豚も鶏も同じにやられる」。こうした「空軍による真に徹底した殲滅戦争」の特性は、むごいことだが、第二次大戦で日本国民を襲った悲劇を考え合わせると、リアリズムの点で正しく未来を予見していたのである。

石原莞爾が現在の安全保障論者と異なるのは、ここから先であろう。石原は、早晩こうした最終戦争が避けられないと考えた。だからこそ、徳義を持たない日中戦争をやめて東アジアに平和と秩序を回復して、来るべきアメリカとの対決に備えるべきだと主張する。しかし、石原は国力不相応の日米開戦などをすすめない。この点がライヴァルの東条英機など、日米開戦に成算を持たなかった凡百の吏僚たちと違うのである。あくまでも「驚くべき産業革命」で必要なものをつくり、二十年を目標に東アジアの生産能力を西洋文明に匹敵させるのが先決だと強調する。最終戦争は、起こるとしても、三十年以上先のことだからというのだ。このあたり石原の考えは、日蓮思想と世俗的終末論と軍事理論の混淆（こんこう）に結びついていく。

実際に、核兵器開発、冷戦、キューバ危機、冷戦終了とソ連解体による激動の歳月とを符合させると、石原の未来予測の数々は間違っていない。しかも、最先端兵器の開発が全面的な決戦戦争をやがて不可能にするという考えも正しい。その間にベトナム戦争、中東戦争、湾岸戦争などの間奏曲を挟んでいるが、これも石原の予言を補強するものでしかない。

もちろん、石原の議論には無理な点も多い。しかし、他国の軍事力学信奉者の〈良識〉を信じて、非武装や無抵抗を説く善意は、現代日本社会の一部以外には通用しがたい。絶対平和や安全保障が主観的な信念で果たされると考える人もいる現在、石原莞爾の『最終戦争論』は、満州事変批判のためにも再読されてよい書物であろう。

■『昭和天皇実録』全一九巻

宮内庁編修（東京書籍）

歴史全体を俯瞰する意義

『昭和天皇実録』が完成した。目次・凡例を含めて全六一冊、約一万二〇〇〇ページの分量を誇る（公刊本は索引一巻を含む全一九巻）。『日本書紀』から『日本三代実録』に至る六国史（りっこくし）の伝統を受け継ぎながら、『明治天皇紀』はじめ近代の天皇実録の叙述様式を継承した編年体史である。一九九〇年（平成二）から編修作業に携わってきた宮内庁書陵部の労を多としたい。

二つの大戦と冷戦を経験し、二つの憲法で君主と象徴であった昭和天皇は、年号では六十四年の長きにわたって在位した。その実録は、日本史だけでなく世界史の研究でも重要な史料になるだろう。

実録は、一九〇一年（明治三十四）の昭和天皇の誕生から八九年（昭和六十四）の崩御まで八十九年間を記述する。凡例によれば、第一に天皇に関する事項を「ありのまま」に叙述し、第二に皇室全般や政治・社会・文化・外交についても天皇の関わりを中心に記している。叙述にあたり、侍従日誌や内舎人(うどねり)日誌をはじめお手元文書などの史料三一五二点に依拠し、うち新発見の史料は約四〇点である。幼少期の手紙・作文や鼻の手術の詳細、二・二六事件をめぐる重臣の動き、戦時中の伊勢神宮参拝で奏した御告文(ごこうもん)、終戦の御前会議の日時、新たな拝聴録の存在など、新事実も紹介されている。

叙述スタイルは、昭和天皇一代の歴史を扱う点で、一つの王朝について記す断代史に分類できよう。昭和天皇を「主語」とし、起こった事を時系列に沿って記録する編年体を採用している。編年体は、中国の『春秋』に始まり、『日本書紀』などの正史や『水鏡(みずかがみ)』『増鏡(ますかがみ)』が歴史を描く方法として採用したものである。トゥキジデスの「ペロポネソス戦争史」も基本的に編年体と言えるだろう。

一般に編年体史は、扱う史実に価値の優劣や判断をつけずに、年代順に幾らでも事象を記述できる反面、因果関係を持つ歴史事象が年月日など時間の順序に規制され、ばらばらに裁断されて叙述されがちである。事象の間にある関連やその意味を見失い、歴史の全体像を理解できない危険性も出てくる。これは、年代記から発展した編年体史の欠点かもしれない(稲葉一郎『中国史学史の研究』京都大学学術出版会)。

そこで実録は、特定の出来事について、その顚末を一か所にまとめて叙述する紀事本末体に類似した形式も併用した。紀事本末体とは、南宋の歴史家の袁枢による『通鑑紀事本末』に由来する言葉である。袁枢は、編年体史の代表作品、司馬光の『資治通鑑』の内容から共通の事象として重要な項目を、時間の隔たりと関係なく抜き出し、歴史の全体性を俯瞰できるように工夫したのである。

実録の紀事本末体で重要な一例は、宮内庁長官富田朝彦の拝謁を受けたという一九八八年（昭和六十三）四月二十八日の記述であろう。これは、三日前、二十五日の宮内記者会の質問に、「何といっても一番いやな思い出」は第二次世界大戦だと答え、同日の実録に記載した点と関係している。

二十八日の実録は、天皇が富田に対し、「いやな思い出」や、靖国神社のA級戦犯合祀と自らの参拝について述べたことを記している。

ただし、具体的な中身には触れていない。だが、「なお」という但し書きを使って、二〇〇六年（平成十八）七月二十日に日本経済新聞が「富田メモ」を報道した史実に触れている。

つまり、昭和天皇が靖国参拝について長官と会話した史実を記録する箇所に、十八年後の報道事実を合わせて記録しているのだ。

実録編修者は、靖国参拝に関連する事柄を扱う場合に、単純な編年体叙述でなく、紀事本末体がふさわしいと判断したのだろう。ただ、富田メモの内容、そこにおける天皇発言の詳細については、一切触れていない。これは『昭和天皇実録』の記述に際して、複数の文書や証言の支えが乏しい一史料を、重要な政治外交問題を左右しかねない独立の材料として使わないという慎重さの表れなのだろう。

歴史の事象は無数にある以上、どの時代の歴史家や修史官も自らにとって歴史的な価値や意味を持つと考えた史実を採用する。昭和の戦前と戦後にまたがる実録を成立させる枠組みは、大きく二点に収斂（しゅうれん）すると思われる。

第一は、戦前と戦後を通して昭和天皇が平和主義と国際協調を目指した人物であり、第二は大日本帝国憲法と日本国憲法の差異にかかわらず、基本的に憲法に忠実な立憲君主あるいは象徴だった点を強調することであろう。戦後の編年記述はいずれもこの二点を軸にしている。戦前でも、皇太子時代の欧州訪問が丹念に描かれ、張作霖（ちょうさくりん）爆殺に関連する田中義一首相への叱責や満州事変不拡大への強い信念、天皇機関説論争への微妙な立場などが詳しく記されている。とくに陸軍の天皇無視の記事は驚くほど多い。

昭和天皇がこの二点に基づき明治天皇を尊敬し、その治世を範とした証拠として、日米開戦の危機が迫ると御前会議で明治天皇の御製を読み上げ、平和を求めた四一年（昭和十六）九月六日の出来事や、開戦の詔書に戦争が自分の意志ではない旨を盛り込むように希望した結果「豈朕カ志ナラムヤ」と表現されたこと（同十二月八日）が記載される。

戦後も、四六年（昭和二十一）元日のいわゆる人間宣言において、昭和天皇は明治天皇の五箇条の御誓文を挿入することを希望したが、この条では、七七年（昭和五十二）八月の記者会見の内容が紀事本末体で示される。それは、五箇条の御誓文を挿入した理由について回想した箇所だ。民主主義の精神は明治天皇が採用したもので、外国から輸入されたものではないという内容である。

他方、実録は、立憲君主として戦争を回避する外交努力に熱心だったと記述する。平和主義者にして立憲君主たる姿を昭和天皇に求める実録は、四五年（昭和二十）九月二十七日のマッカーサーとの第一回会見に関しても「なお」と紀事本末体を使う。すなわち天皇が戦争に伴う全責任を取ると発言したとする史料と、日本の軍人と政治家の行為にも直接に責任を取ると発言したとする史料も紹介している。

また、終戦前後にしきりに退位の意志を側近に伝えたとの記述もあるが、実録はあくまでも天皇の心中には入ろうとしない。

編年体史は、価値判断や因果関係の分析を差し挟まない点で、天皇実録の性格に適合した叙述方法なのだろう。それでも、実録の編年記事を丹念に追えば、編修者たちが叙述で遠回しに語る「微婉(びえん)」や、すぐにはわからなくても読みこめばなるほどという「志晦(しかい)」もあるのではないか。こうした予感を持って、「史料集的性格を併せ持つ編纂物」（宮内庁）として実録を熟読するのも、個別を介して普遍を学ぶ歴史の醍醐味と言うべきであろう。

Novels

『アシェンデン　英国情報部員のファイル』

サマセット・モーム著　中島賢二、岡田久雄訳（岩波文庫）

歴史の本質にかかわる問い

モームほど人間の心理描写に巧みな作家はいない。しかも、独特な語り口によって、自らの実体験を政治や社会の情景点描と結びつけるのだから、本書が余人の追随を許さぬほど面白いのは当然だろう。

よく知られているように、モームは第一次世界大戦中に英国陸軍諜報部の情報員として活躍した。自らの分身にアシェンデンという名をつけ、一九二八年に連作読切形式の一六品を短編集に仕上げた小説は、理屈抜きに楽しめる。

スイスやフランスを中心に諜報活動にあたるアシェンデンは、とくにドイツとスパイ工作をめぐる厳しい駆け引きを繰り返し、ドイツ女性と結婚して英国を裏切った男や反英運動に従事するインド人を罠にかけるなど、とても作家とは思えないほどの陰謀や詐術にもたけた男である。オスマン帝国やエジプトとの関わりなどオリエンタリズム情趣も興味が尽きない。とはいえ、カード好きのエジプトの王族とその二人の娘の描き方には偏見も入っている。夜な夜なジュネーブのレストランで若者たちとダンスに興じる娘たちは、「背の低いずんぐりした体型で、漆黒の眼に浅黒い顔をしていた」だけでなく、趣味の悪い「けばけばしい服」はパリの大通りよりもカイロの魚市場のほうが似合いそうだった、と。

これはひどく極端な表現であるが、家庭教師の小柄な英国人老女を叱りつけ、その横っ面を姉が張り飛ばしたという光景ともなれば、オリエンタリズム批判などと悠長な評論もできないほど巧みなプロットづくりになっている。臨終の際にアシェンデンを枕頭(ちんとう)に呼んで叫ぶ老女の一言が小品をぐっと締める効果をあげている。

他方モームは、白人にもきちんと批判の矢を放っている。冷静無比で高潔なインド人革命家と不思議な綾で恋に陥った踊り子が男の死を聞いて放つセリフなどは、人生に対するモームらしい冷笑と言ってもよい。いわく、クリスマスに贈った腕時計を持っていたはずだから、あたしに返して、一二ポンドもしたのだから、と。

また、大戦中のトルコの最高指導者エンヴェル・パシャがギリシア人情報員に口頭で託した特殊任務を邪魔するために、アシェンデンの上司Rが雇った「毛無しメキシコ人」はメキシコ反乱軍の指揮官で驚くほど酒と博打に強く、「紳士にふさわしい仕事」とは戦争とトランプ、それに女しかないとうそぶく男である。

　しかしモームが男の輪郭を浮かび上がらせる公平な筆法はさすがというほかない。「禍々しいばかりにグロテスクな男であったが、彼の身体全体の動きには猫のような気品があり、ある種の美しささえ感じさせたから、見る人はその秘密めいた淫らな魅力に捕らえられてしまうのだった」。

　能力の高い上司のRさえ、モームの鋭い観察から免れない。それなりにジョークも巧いRだが、一度始めたジョークをいつまでも繰り返すのはアマチュアのユーモア作家と同じだと手厳しい。冗談を言ったら、蜜蜂と花との関係のように、サッと離れなくてはならない。また、諜報任務のためにふんだんに予算が与えられたRが著名人の傍にいる機会が多くなり、贅沢の誘惑が与えられる危険にも皮肉まじりに警告していた。教養の強みが馬鹿話をもっともらしく話せる点にあるとすれば、身についた贅沢は無用の虚飾を軽蔑の眼で見られるというのだ。まことに正鵠を射ているといえよう。

　モームの人間観察の鋭さは、複雑な恋愛譚を独白する英国大使ハーバート卿や、英国への「裏切りを楽しんでいる売国奴」たるケイパーというドイツのスパイの場合に顕著になる。すべての人間を白黒ではっきり割り切れるなら、人生は随分と気楽なものになり、他人への対処の仕方もどんなにか単純なものになるだろうに、とは至言である。ここでモームは、売国奴スパイが良心の呵責（かしゃく）に一切苦しめられない本質を見抜いているのだ。こうした観察は、横浜と敦賀（つるが）を経由してウラジオストックに上陸し、シベリア鉄道でロシア二月革命後のロシアに潜入したときにも発揮される。同行したハリントンなるアメリカ人ビジネスマンは饒舌（じょうぜつ）で陽気でありながら、トランプを時間浪費の愚ときめつけ読書をこよなく愛する面を持っている。

　十一日間の鉄道旅行を終えた二人は、動乱のペトログラードでもしばしば顔を合わせる。レーニンの指導した十月蜂起を英国人の冷たい視線で眺めながら、ボリシェヴィキ革命に含まれる暴力とテロの本質を描く筆致は今でも迫力を失わない。

　日本人の作家でおよそ愛国心から危険なスパイ稼業を楽しむ者などいたとは思えない。モームは、死への恐怖をのりこえるほど、人間への好奇心や関心が強かったのではないか。もちろん現代ではスパイの性格も変わったに違いない。それでも人間とは何か、文学とはどうあるべきか、といった歴史の本質にかかわる問いを、楽しみながら考えさせてくれる点でも、モームは端倪（たんげい）すべからざる作家といえるだろう。

第四章

近年の歴史学の成果

■『江戸城下町における「水」支配』

坂詰智美(専修大学出版局)

塵埃と屎尿は消費生活の必需品

コロナ禍の抑制は、日々の生活で培ってきた国民の衛生感覚や清潔感にも大きく左右されるようだ。十四世紀中期の欧州におけるペスト大流行は、その直後のパリで下水道が建設される契機となった。しかしいくら構造を整えてみても、上下の水源からさほど離れていない所に衛生処理をしない下水をそのまま流しては不潔だろう。水洗トイレといっても未処理の屎尿をたれ流す構造にすぎず、過密都市の不衛生をかえって増進させ、十九世紀には欧州でコレラのパンデミックをおこす一因にもなった。

他方、世界ではコロナが日本で蔓延しない理由を日本人の清潔好きに求める人も多い。確かに日本では古くから上水の質が他国より良好であり、下水もうまく処理されていた。農業用肥料の屎尿と、単なる汚水を分ける知恵は古くからあったらしいが、とくに江戸時代に進化した。健康な都市生活維持のために、塵埃と屎尿を適切に処理する知恵は誰にも必要なのだ。

このことを江戸時代を素材に明らかにしたのが坂詰智美氏の『江戸城下町における「水」支配』である。氏によれば、河岸端・会所地でのゴミ焼却を禁じ、船で「永代浦」まで運ぶように幕府が命じた記録が明暦元年（一六五五）に現れている。

火事の多い江戸では、焼土・焼瓦・壁土などのゴミもかなり出た。各種のゴミは人口増に対する土地造成（築地）に役立て、「本所・深川などの底地」の様を大きく変えた。享保年間の町奉行・大岡越前守の時代には、御堀浮芥浚請負人組合も結成される。芥取賃を徴収するにせよ、新規参入希望者らと競争しながら江戸のゴミを処理する人びとがいたのである。

屎尿処理は、衛生とリサイクルの双方で重要であろう。新田開発が進むと地力維持の主要肥料として美味や魚類を多く費やす城下町の屎尿は農民に歓迎された。きちんと回収するために「雪隠」「手水場」「後架」と呼ばれたトイレがつくられる。幕府は河岸や下水の端や上に雪隠をつくらぬように何度も厳しく達を出した。汚物を直接水に流すという意味で欧州の水洗トイレと同じく不潔だったからだ。流れの悪い所もあり、夏場に屎尿まじりに澱んだ下水は不衛生であった。そこで幕府は、路上や行楽地に貸雪隠をつくった。有料トイレである。

屎尿は竪川（たてかわ）や小名木川（おなぎがわ）などを通る江戸東郊の舟で葛西（かさい）などの農村に運ばれた。下肥として屎尿の価値が高まるに従って、排泄者たる江戸住民・下掃除人（仲買い人）・農民との間に争いも起きた。とくに、松平定信の寛政改革時代には、半世紀前と比べて農民が支払う契約金は三倍以上になっていたからだ。町奉行は契約金の値下げを指導しながら、江戸の衛生管理と在方の生産工場のバランスを図った。塵埃と屎尿は消費生活の必需品であるが、その利用や処理のサイクルが都市住民の生活環境を清潔に保ってきたのだ。医療従事者をはじめ現代日本人がコロナ禍に立ち向かう勇気と使命感には、先人の苦労と知恵も潜んでいることを忘れてはならない。

■『儒学殺人事件　堀田正俊と徳川綱吉』

小川和也（講談社）

殿中殺人の背景に迫る

徳川綱吉を五代将軍に押し上げた大老・堀田正俊が貞享（じょうきょう）元年（一六八四）に若年寄・稲葉正休（まさやす）に斬殺された事件は、徳川政治史最大のスキャンダルかもしれない。

歴史学者、小川和也氏の『儒学殺人事件　堀田正俊と徳川綱吉』は、この殿中殺人に綱吉の意志が働いていたという説を実証した書物である。正俊は綱吉の度が過ぎる犬愛護、能役者の幕臣登用、犬保護に落ち度のあった近臣の処分などの不当性について諫言（かんげん）を繰り返していた。

かねてこれを疎ましく思っていた綱吉は、大老辞職を促すが正俊は肯（がえ）んじない。そこで正俊の親戚の正休を使い引退を促したが、聞く耳を持たなかった。結果として正俊は斬られたというのだ。背景には正俊の死後本格化する「生類憐（しょうるいあわれ）みの令」をめぐる政策的不一致が潜んでいた可能性も否定できない。

さて、その正俊が綱吉を称揚した『颺言録（ようげんろく）』という書物がある。『続々群書類従』（第十三）に入っているので、最近ようやく読む機会を得た。颺言とは、「包み隠さず公言する」という意味である。名君録とも言える本書には、二人の不和を思わせるものは少ない。むしろ正俊は、綱吉の英主たる所以（ゆえん）を指摘してやまない。

正俊はある日、道端で泣いている二人の浮浪児を見つけて救おうとしたが思いとどまった。大老たる自分の職務は「天下の政」で、二児を救うのは「小恵」だからである。しかし、忍びない気持ちが残ったので後から家臣を送り、食物を与えた。

翌日、これを聞いた綱吉は、「是汝（なんじ）の惑いなり」、仁の心（人間愛）を発揮するには事の大小は関係ないと述べた。「日月は照らさざる所なし。繊芥（せんかい）の微（ちりのようにどんな小さなもの）みなその光を受く」。

正俊は幕府官僚制の頂点に立ち、幕政を全国レベルで動かす政治家でもある。しかし綱吉は、将軍の徳治を示すのに職位や権限の上下は関係ないと考えた。幕府官僚制は綱吉の改革政治にとって桎梏（しっこく）だとも言いたげである。堂々たる正論であり、正俊は顔を赤らめて肝に銘じ、汗は背を流れたと恐れ入った。

またある日、綱吉が正俊と政を論じていたときのことだ。工（たくみ）に命じて作らせた小器でも、できてみれば心にかなわないところがある、と語った。これを改作させても、また心にかなわない。自分の思うような器はできない、「凡そ物皆然り」というのだ。さらに綱吉は古人の言葉を引いて、「水至りて清ければ則ち魚無し」と語ったが、これは初代将軍家康の好んだ言葉でもある。綱吉は「国家を治むる者、これを思はざるべけんや」と正俊に諭した。

『颺言録』が書名に恥じず、事実だけを記しているか否かは別に議論されるべき問題である。しかし綱吉は生類憐みの令に限らず、為政者の威令だけでは自分の描いた政治ビジョンが下まで達しない限界を痛感していた。今後の政治情勢について、是々非々で「現代の颺言録」を書くとすれば、どのような視点になるのだろうか。

■『将軍と側近　室鳩巣の手紙を読む』

福留真紀（新潮新書）

■『吉田松陰とその家族　兄を信じた妹たち』

一坂太郎（中公新書）

権力と家族、それぞれの関係性の機微

徳川幕府の官僚制における老中と側近との関係は、江戸時代の政治史の重要テーマである。専門家のひとり福留真紀は本書で、将軍が直々に抜擢して自分の意を老中や大名に伝える役割を担った存在を「将軍側近」と考える。最高権威の将軍と幕府の政治世界を理解するには、老中など正規の官僚行政機構とともに、将軍の権力と権威を象徴する側近の動きを分析する必要があるのだ。側衆や側用人といえば、すぐに思い出すのは五代将軍綱吉に仕えた柳沢吉保と十代家治の股肱たる田沼意次であろう。しかし、六代家宣や七代家継に勤仕した間部詮房もなかなかに興味深い存在である。

本書は、六代家宣から八代吉宗の時代にかけて活躍し、時に政策決定にも連なった儒学者室鳩巣（むろきゅうそう）の新井白石との交友や文通を核に、将軍家宣が「珍しいほど心が広く情け深い主君」で、家康の再来とまで評価した室鳩巣の指摘や、七代家継が幼少なのを幸いに無理難題をふっかける増上寺に、白石や間部が将軍の権威を思い知らせる逸話など、興味深い内容がぎっしり詰まっている。

譜代大名の名流から代々選ばれる老中には、相当に無能な人間もまぎれこんでいた。そのなかでは、吉宗にも仕えた久世重之（くぜしげゆき）の見識と才は目立って高かった。

久世は死が近づいたことを知って、吉宗側近の有馬氏倫（ありまうじのり）に「御奉公」には、「役儀（やくぎ）」と「勤方（つとめかた）」の二つがあるが、その違いや如何と尋ねる。答えに窮した有馬に向かって、久世は「役儀の筋」と「御奉公の筋」の二種類があると諭す。

前者は、老中には老中の役儀、側近には側近の役儀というものがあり、後者は、どのようなことであっても将軍の為と考えた仕事を、一心に覚悟を持って勤めることである。両方の筋を混同してはならないというのだ。上様の御為といっても、老中や若年寄など幕府の伝統的な官職と、新規に取り立てられる側近との間には超えてはならない役儀がある。これを分別するのが肝心だ、と久世は主張したのである。

有馬は、ぐうの音も出なかったのではないか。吉宗のように改革路線をずんずん進める将軍の下では、えてして側近が他の高官の職務領域を無意識に犯しかねない。こうした危険を久世は察知したのだろう。

それにしても、久世の能力と人柄は誰にも評価されたようだ。人生の幕引きも見事であった。家臣に慰藉（いしゃ）を兼ねて功労を賞し、見舞客を避けるために下屋敷（しもやしき）に移って秘かに息をひきとった。人びとは、「老中は一人のようであった。惜しいことである」と囁（ささや）きあった。老中と側近との緊張関係を物語る逸話と言えよう。

最後に年来の疑問を一つだけ。学者の著作でも「御側御用取次（おそばごようとりつぎ）」という表現をそのまま使うことが多い。武鑑や書付で御側御用人や御側衆と書くのは、将軍の権威を敬ってのことだから、現代の論文では側用人や側衆と表記するようだ。だとすれば、学問的には「側用取次」とすればよいはずだが、どういうわけか御側御用取次と書く事例が多い。このあたりを著者にご教示いただければまことに有難い。

さて、吉田松陰が家族思い、妹思いの優しい人物だったことはよく知られている。自分の友人や門下生に好きな妹たちを娶（めあわ）せたことは、彼にとって無上の喜びであったろう。松陰の次妹の寿（ひさ）は、小田村伊之助と結婚する。慶応三年（一八六七）九月に楫取素彦（かとりもとひこ）と改めた人物である。末妹の美和子（文）は、久坂玄瑞に嫁ぐが、禁門の変で久坂が戦死した後は未亡人となる。また、寿も早死にしたので、連れ合いを亡くした同士の楫取と文は再婚した。松陰のとりもつ縁はよくよく深かったのである。

一坂太郎によれば、むかしから婦人教育に熱心な松陰は良書がないことを憂えていた。そこで萩の野山獄に収監中、児玉初之進に嫁いでいた長妹千代から手紙と一緒に差し入れを受け取った機会に、礼とともに、教訓をあれこれ垂れて婦女のたしなみを諭している。老人を大切にし、手習いや読書を心掛け、正月には遊ぶよりも読書せよ、と助言したのである。貝原益軒の『大和俗訓』や『家道訓』はともかく、浄瑠璃本も役に立つとは、松陰の謹直なイメージとやや異なり面白い。

文が久坂玄瑞と結婚する際にも文章を与え、久坂は防長二州でも「年少第一流の人物」で「天下の英才」であるが、自ら励めば何事も成し遂げられると文の奮起を期待する。ここでも松陰は教師たる本分を忘れない。松陰は、後漢の班昭（班固と班超の妹）が著した『専心編』を講義したという。文がこれを信じすぎても自分は心配しないとは、「天下の英才」と連れ添うにはこのくらいの道を知らなくては勤まらないという意味なのだろう。

姉二人から遅く生まれた文をいとおしげに憐みながら、読書こそ文の名にふさわしいと、兄と儒学者が一緒になったような見地から諭すのだ。松陰は、妹の一人が夫に先立たれ、もう一人は先立つとは思いもよらなかったろう。ましてや、妻と夫をそれぞれ失った小田村こと楫取と文が再婚するのは、人智を超えた天のはからいであった。

しかも、明治二年(一八六九)になって久坂が京都でつくった秀次郎なる実子が山口に現れ、久坂家を継ぐことになる。文の心中はさぞかし複雑だったに違いない。久坂家には養子として、自分の血もつながる姉の子楫取粂次郎(くめじろう)がいたからだ。美和子こと文ならずとも、関係者は秀次郎の出現に狼狽したに違いない。血筋が優先される時代である。久坂玄瑞の実子こそ家督相続者にふさわしかったのだ。このあたり、久坂を高く評価していた松陰が存命だったらどう考えたのかと想像は限りない。

生涯不犯(ふぼん)の説もある松陰は、久坂の情事を怒り、文の気持ちを思いやっただろうか。あるいは何事も血が最優先すると、冷静無比の儒学者に戻って文を慰めただろうか。いろいろなイマジネーションを高めてくれる本である。

■『大正政変　国家経営構想の分裂』

小林道彦（千倉書房）

日露戦争後、すでに芽生えていた日独同盟への衝動

これまで日露戦争後の日本外交は、日英同盟対日露協約という枠組みで理解されることが多かった。しかし、陸軍や長州閥政治家のなかには、日英同盟の軍事的意義を疑う者も多く、山県有朋や桂太郎は、日独同盟の可能性を検討したこともあった。

旧著『日本の大陸政策1895―1914』を新たに補訂した本書において、小林氏は、日英同盟から距離を置き日独提携を図った中心人物として、桂の腹心だった後藤新平を挙げる。英国の袁世凱援助とドイツの世界強国化は、後藤に限らず当時の政界でロシアやドイツとの接近を促す流れをつくった。ことに田中義一は、ドイツへの接近によってロシアの陸軍兵力を牽制し、アジア・太平洋地域における英海軍の力を弱めることができると信じていた。

小林氏は、昭和の軍部を幻惑した日独同盟への衝動がすでに日露戦争後の陸軍に芽生えて

いたのではないか、と問題を提起する。新聞世論でも日英同盟の実効を疑う意見が強まっていた。『中央公論』はじめ『大阪朝日』や『大阪毎日』のような有力誌紙は、こぞって日英同盟に懐疑的な論陣を張っていた。『大阪毎日』のごときは、日米戦争を抑止できなければ日英同盟を新たに結んでも、それは「絶東平和の維持における日本の自殺的行動」に終わると決めつけていた。後年の日独提携から三国同盟に至る流れが形成されるには、ジャーナリズムにも大きな責任の一端があったのである。

史料的にはまだ補充の必要があるにせよ、孫文と桂との秘密会談（一九一三年三月）の席上、桂がアジアにおける英国の覇権打倒のために、日本と中国に加えてトルコとドイツとオーストリアとの同盟を組むべきだと提案したらしい。しかし、その基礎にあった後藤の日露独三国の提携構想は、後年の松岡洋右（ようすけ）による日独伊ソの四国協商と同じくらい実現の可能性が薄かったのである。いずれにせよ、日独同盟論が早い時期から日本の政局に生まれていた事実は興味深い限りである。

■『花の忠臣蔵』

野口武彦（講談社）

義士の心中に同化できるのが日本人のアイデンティティ

本書は『日本誌』の著者ケンペルが瀬戸内から赤穂城（あこうじょう）を眺め、藩札（はんさつ）が流用している現実に驚くところから始まる。ともかく人口稠密（ちゅうみつ）の江戸を見物し、千代田の城に上がって将軍綱吉に目見得（めみえ）をしたドイツ人も、お上の御威光で金はどこからでも入ると思い込む侍たちの消費感覚には驚愕したことだろう。

この太平の世で起きた赤穂義士の吉良邸討ち入り事件は、幕府の法と秩序観を揺るがすものだった。

執政だった柳沢吉保は伊達に大学者の荻生徂徠（おぎゅうそらい）を五〇〇石で抱えていたわけでない。徂徠は、義と法、私と公という鮮やかな法概念を駆使して、武士の名誉たる切腹刑で世上の不満を抑え、義士たちの面目も保ち、幕府の権威を守った。読者が驚くのは、義士預かりの大名家が遣わした引き取りの武士数の多さだ。細川家七五〇人、松山松平家三〇〇人、長府毛利

家二〇〇人、岡崎水野家一五〇人、都合一四〇〇人。

著者は、討ち入りをめぐる緊張感の密度がいちばん濃かった場所は、討ち入りの翌日の深夜、義士をひとまず一括で預かった愛宕下の大目付仙石伯耆守邸の周辺にあったという。松平家の波賀清太夫のように、上杉から追手がかかることを覚悟して、ござんなれという気分で待機していた武士も多かったはずだ。しかし、上杉は動かなかった。藩主の実父である吉良上野介の仇をとろうとしなかったとき、「元禄」は確実に終焉したのだ。

かなわぬまでも、赤穂義士の驥尾に付して、今度は俺たちの番だ、上杉よ必ず来い、と武者震いをしていた者もいただろう。野口氏の本を読んで忠臣蔵人気が日本人に根強いのは、誰もが波賀のような気分になって、義士や仇討に嫉妬や憧憬の念を持つからではないかと考えた。野口氏にも、私にも、誰にも、心中どこかに波賀清太夫の気持ちに入り込む部分が潜んでいないとは断言できない。江戸時代から現代までずっと、赤穂義士の心中に切ないほど同化できるのが日本人のアイデンティティというものなのだろう。

■『六国史　日本書紀に始まる古代の「正史」』

遠藤慶太（中公新書）

編纂に当たった撰者の史観を反映した「国家の公式史」

六国史（りっこくし）とは、『日本書紀』に始まり、『日本三代実録』に終わる政府編纂の「国史」六部を指す。

六国史は、官報を綴じこんだ史観のない書物という低い評価もある。しかし著者は、公文書や目録を材料とした高度な情報が集約されており、政府の記録として信頼度の高い編年体だとする。事件記述として高い価値を持つと反論する。

六国史は、天皇の個人史であるとともに、国家の公式史でもある。

そこで、官人の昇叙や死没のさりげない表現にも、編纂に当たった撰者の史観や政治的立場が反映している。桓武天皇とその子の天皇らの治世を扱った『日本後紀』は、とくに興味深い。

著者によれば、この史書の特徴は人物伝での評価が厳正なことだ。桓武の第九皇子の佐味（さみ）

親王は女色を好み、突然病に倒れたときの声はロバに似ていた。あるいは、『続日本紀』の撰者の一人、藤原継縄は政治上の実績がなく、才能も識見もなかったと手厳しい。極め付きは、平城天皇への厳酷な評価である。天皇の人となりは猜疑心が強く、人に寛容でなく、弟の伊予親王とその子や母を殺しただけでなく、心を「内寵」に傾けたと評する。これは、天皇が愛した藤原薬子を示唆しており、天皇と薬子の政変に寄せて、「メンドリが時を告げるようになれば家は滅びる」と驚くべき叙述を続けるのだ。

これだけを見れば、『日本後紀』は天皇の治世さえ鋭く論評し、そこに批判的精神を読みとれるかもしれない。しかし著者は、全体として誰をも公平に批判しているとはいえず、天皇批判も平城天皇に限られていると指摘する。

つまり六国史は、勅撰史書として個人の「作品」ではありえず、記述を命じた天皇の視線を意識せざるをえなかったのだ。十世紀以後に勅撰史書が絶えたのもわかるような気がする。

その欠を補うために『昭和天皇実録』に至るまで歴代の関係者は、さまざまな苦労を重ねてきた。『源氏物語』も国史の断絶を補う文学作品だったという説など、興味深い知見が随所に披露されている。

■『徳川家康　われ一人腹を切て、万民を助くべし』

笠谷和比古(かさやかずひこ)(ミネルヴァ書房)

家康はなぜ「大坂の陣」開戦に踏み切ったのか

著者には歴史家に必要な構想力と考証力と叙述力が過不足なく備わっている。まずは現時点での家康伝の決定版が誕生したことを喜びたい。徳川家康は、豊臣秀頼との二重公儀体制を受け入れる用意があった。

著者は、西国における豊臣家の存在を認めたうえで、別個に新たな政治体制を設けたと主張する。加藤清正、福島正則、浅野幸長(よしなが)といった豊臣恩顧の武将たちは、関ヶ原合戦のときには家康の軍事指揮権に従ったが、秀頼への忠誠を保持したまま家康の統率を受け入れたにすぎない。関ヶ原での大野戦の主役は、福島はじめ外様(とざま)の有力武将であり、徳川本隊は地政学的な戦略構造を意識していたとはいえ、上田合戦で手間どって決戦には遅参した。これは家康最大の政治危機となった。先鋒の福島を出し抜いて井伊直政や松平忠吉が抜け駆けをしたのは、そうしなければ勝利の暁(あかつき)に徳川の発言権が弱くなるからだった。

家康は、ひとまず秀頼に徳川主導の政治体制を認めさせながら、その超然たる存在にも一目をおかざるをえない。西国にまだ譜代大名を配置できなかった家康は、千姫(せんひめ)を秀頼に配偶することで徳川と豊臣の共存共栄を図ろうとした。

政局的戦略観と秀頼への保護責任は重要であろう。しかし軍事カリスマとしての家康を畏敬する豊臣恩顧の武将も、家康没後には二代将軍秀忠と秀頼を天秤にかけてどう動くかわからない。ここに家康の懊悩(おうのう)もあった。

さらに大きな脅威は、毛利、上杉、佐竹といった関ヶ原負け組の旧族大名も、自分の死で好機到来とばかりに同盟を組むかもしれない。こうして方広寺大仏殿鐘銘事件を機に大坂の陣開戦に踏み切ったというのだ。歴史の大局を論理的に説明する手際はさすがというほかない。やや疑問に思うのは、二重公儀体制と共栄共存を是とした家康の真意である。旧族大名や豊臣大名を減封なり加増の違いはあっても安堵した政治選択の背景と、豊臣と戦う決心を迫った衝動との間には、もう一つクッションがありそうにも思えるからだ。

■『観応の擾乱　室町幕府を二つに裂いた足利尊氏・直義兄弟の戦い』

亀田俊和（中公新書）

現代人にも勇気を与える、四十代半ばでの足利尊氏の努力

高師直は『仮名手本忠臣蔵』や『太平記』では色と欲の塊として評判がよくない。しかし、実際の師直は無類の女好きではあっても、領地への欲は乏しかった。各国の守護はもっと能力で選ばれるべきだという「守護吏務観」の持主でさえあった。

もともと足利尊氏は幕政を弟直義に委ね、家政や恩賞を師直に任せていた。この混乱から生じた観応の擾乱なる長期内乱の性格を多面的に描いた本である。著者によれば、直義は寺社公家や東国の有力御家人地頭らに支持され、師直は畿内の新興御家人や下級譜代層らを基盤にしていたという古典的な見方には問題が多い。

この内乱は頻繁に優劣が入れ替わり、長期化しただけではない。足利兄弟が異なる時期に南朝と和睦したり、帰参や返り忠をした武将にも寛大なほど無節操に接したのは何故なのか。大災害による世情不穏なども絡めて分析する。

尊氏の極端な実子直冬（ただふゆ）嫌い、直義による直冬の庇護といった後継者争いも擾乱を複雑化させたことは間違いない。もっと本質的なのは、所領問題とくに「恩賞充行（あておこない）」への不満が武将を情熱的に動かしたことだ。所領への欲が少ない師直は他人の恩賞にも恬淡（てんたん）としたところがあった。これでは領地に強烈な執着を燃やす武士の本能を満たせない。また、直義も手続き論にこだわるあまり、即断即決を期待する武士や訴人の願いに背を向けがちであった。要は、二人とも器量人ではあったが、天下を統（す）べるほどの人物ではなかったのだ。

やはり内乱の収拾は、『梅松論（ばいしょうろん）』で語られる人間尊氏の天下人たる大きさに委ねられることになる。必要になれば、気力や気概をみなぎらせる尊氏の集中力と気分転換力も本書から教えられる。擾乱後の恩賞充行はかなりの武士を満足させたのだから、尊氏もやればできたのである。著者は、無気力だった尊氏が四十代半ばに積極的に性格を変えて、努力して結果を出したと語る。これは現代人にも勇気を与えるという著者の素直な見方と激励は、まことに好ましい。

■『ギリシア人の物語』Ⅰ～Ⅲ

塩野七生（新潮社）

美談では守れない民主主義

塩野氏の考えるギリシア人の物語を象徴するのは、やはりペルシア戦争であろう。「ひとつかみの小麦」にすぎないギリシアが大帝国に勝ったのは、持てる力をすべて活用する精神を我が物としたからだ。氏によれば、それこそギリシア文明がヨーロッパの母胎になり、精神を形成する要素になった。この戦争が明らかにしたのは、東方と違ってヨーロッパが「量」ではなく乏しい資源の「活用」で勝負を決める特性であった。

私のようなイスラーム研究者からすれば、随分と大らかな結論であるが、真理の一端をきちんと衝いている。必要になればスパルタでさえ国王でなく若い王族が全軍の指揮をとり、伝統の一国平和主義を未練なく捨ててしまう大胆さは、政治が職業でもある技術でもなく、高度な緊張を要する生活であることを示している。

そのうえ、アテネの指導者テミストクレスはペルシアの大艦隊を撃退するために、最高指揮官の地位を惜しげもなくスパルタに譲り、サラミスの海戦で勝利を収めた後には未練なく権力の座から離れた。これがギリシアの誇る民主主義だと著者は言いたいのだろう。ギリシアの連合艦隊の指揮権は、スパルタ、アテネ、コリントと三つの国が握っていたのだから厄介このうえない。しかしテミストクレスはちゃっかりと作戦運用面で最高指揮権を手放さない。

このあたり著者は、民主主義とは「活用」だと言いたげである。他人の意見を聞くペルシアの帝王クセルクセスと、聞くそぶりをしても信念を必ず通すテミストクレスを比べると、どちらが民主的かわからない。考えてみれば、民主主義の説得力とは、他者を自分の考えに巻きこむ能力であり、他者の意見を尊重して歩み寄るといった単純なものではない。ギリシア人は常に決断が早く、ペルシア人はいつも逡巡してやまない。普通考えられる民主主義と専制主義の個性が逆転しているのだ。

民主主義を本当に機能させようとすれば、時に陶片追放を使っても政敵を排除し、アテネの市街を放棄して住民を全面疎開させる決意も要求される。三巻から成る本書は、美談や偽善では民主主義を守れないことを教えてくれる歴史の叙述でもある。完結をまずは多としたい。

■『歴史の勉強法　確かな教養を手に入れる』

山本博文（ＰＨＰ新書）

「教養」の意味――史料を具体的に見ることでわかる時代感覚

歴史を語るには、それなりの基礎知識と歴史観をもたねばならない。山本氏の紹介する社会学者二人の対談などは、そうした準備もなしに歴史を語る危険性を教えてくれる。その一人に言わせると、源頼朝が任じられた右近衛大将（うこんえのだいしょう）は「下っ端のノンキャリア」だから頼朝が京都にいる必要がないというのだ。日本史家の著者は朝廷武官の最高官職を「下っ端」と言い切る思い込みに呆れたようだ。こうした発言が生じるのは、史料に地道にあたる苦労もせず、政治軍事の基本機構や有職故実（ゆうそくこじつ）について勉強したこともないからだろう。

それではダメなのだ、と示唆する山本氏は、この社会学者が徳川幕府に圧倒的な軍事力を持つ「幕府軍」は存在しないという指摘にもさぞ驚いたことだろう。大番（おおばん）、書院番（しょいんばん）、小姓（こしょう）組番（くみばん）などを知らなければ、そもそも何故に番町という地名があるのかもわかろうはずがない。本書は、こうした間違いを犯さないように、日本史を学び語るときに必要な作法を教えてくれる。

暦と時刻については「換暦」という便利なネットのサイトを紹介し、金銀銭の交換レートは図解と表でわかりやすく説明している。一両は銀五〇匁、銭四貫文（四千文）になるので、蕎麦一枚が一六文だとすれば四八〇円（一文が三〇円）見当になり、現代人の貨幣感覚からも納得できるというのだ。本書は、この種の具体例も豊富なので、時代劇や時代小説を楽しむうえでも安心できる手がかりになる。

著者は、日本史を史料から具体的に見ないと、時代の感覚がわからないので、すぐに天皇制は何故続いたのか、藤原氏に力があるなら天皇を倒して何故に藤原王朝を立てなかったのか、といった問題の立て方をすると批判的なのだ。しかし、本来日本史を勉強することは、切絵図を持って江戸を散歩する喜びにつながり、ブックガイドでさらに知識を豊かにするなど教養を高める作業につながる。具体的に有益な示唆にあふれている入門書である。

■『維新史再考　公議・王政から集権・脱身分化へ』

三谷　博（ＮＨＫブックス）

西南戦争巡る西郷の謎を指摘

歴史のグローバル化の中で明治維新の意味を考えた著作である。

米国がペリーを日本に送ったとき、ウェブスター国務長官は、その企図を「諸大洋を結ぶ蒸気船航路の最後の鎖」と表現した。地球を一周する交通路を創ろうとする壮大なビジョンがあったのだ。

太平洋の定期航路第一船がサンフランシスコを出発したのは、日米和親条約の約十二年後、一八六七年元日のことだった。明治維新で成立した新政府は、太平洋横断航路と北米の大陸横断鉄道の組み合わせを精力的に利用した。とくに、岩倉使節団という新政府要人の欧米視察旅行は、この経路がなければ使命の達成も難しかっただろう。

欧州経由で北米と日本をつなぐ海底電信ケーブルも同時期に実用化し、留守政府は電信で使節団に帰国を催促した。要するに、明治維新によって成立した近代日本は、グローバルな交通・通信網の受益者だったのだ。

従って、西洋モデルの採用に批判的で、日本古来の在り方や儒教道徳の重要性を説く者にしても、西洋起源の秩序規範に代わる積極的なモデルを提示しておらず、そこに明治維新の特性と限界もあった。幕末に生まれた「公論」の主張にしても、維新後の民選議院の構想は同時期の西洋の理想と制度を借用せずには成り立たないものであった。

著者は明治維新を巡るいくつかの謎を指摘する。西南戦争で西郷隆盛はなぜ、幕末に島津久光が兵を率いて上京したように直接東京湾へ兵を送らなかったのか。船は少数でも、精兵を派遣すれば政府も慌てたはずだというのだ。それでも陸で行くというのなら、各地の士族を味方に付けるためにも大義名分が不可欠だった。だが倒幕では雄弁だった西郷が「この一世一代の大反乱」を起こしたとき、何も語らなかった。

この謎解きこそ維新史再考の大きな課題の一つではないだろうか。グローバル化と西郷との組み合わせは、まことに魅力的な検討テーマに思えてならない。

■『大学的長崎ガイド　こだわりの歩き方』

長崎大学多文化社会学部編　木村直樹責任編集（昭和堂）

国際性豊かで面的な広がりを持つ国境地帯の魅力を案内

五島列島福江島の東シナ海に突き出た丸い半島の突端に空海の石像が立っている。偉大な先人の「辞本涯」の碑を最初に見たときの感動を忘れられない。また一八七一年に、上海との海底ケーブルによって第一歩を印した国際通信の起点も長崎であった。遣唐使、朝鮮通信使、オランダ貿易船も必ず今の長崎県の地を通ったのである。世界と過去につながる国際性の豊かさで長崎は日本屈指の県なのだ。対馬や壱岐を含めて面的な広がりを持った国境地帯の魅力を扱った本書は、長崎大学多文化社会学部の編集になるだけに、まさに「大学的ガイド」として高い水準の案内書である。それでいて非常に読みやすくて面白いのだ。

端島を軍艦島と呼ぶのは誰でも知っている。しかし、その名がワシントン会議の軍縮によって廃艦となった戦艦「土佐」に由来する事を知る人は少ない。この「土佐」を愛惜した丸山芸者・愛八の歌は、「土佐は好子じゃ」で始まるが、これほど切ない好曲も少ない。

三菱重工長崎造船所が造った「武蔵」も八百十二日間で短い艦齢を終えた悲劇の船である。世界最大の巨艦の進水時、長崎港の水位は一時的に上昇し、対岸の浪ノ平では床上浸水が発生した。「武蔵」を設計した優秀な技師、建造に当たった不屈の造船工、乗艦した人びと、「それぞれが抱える想いは否定されるべきものでは決してない」という指摘は重い。十七世紀のチョコレート（ココア）カップに有田焼が多かったのも驚きだ。長崎・台南・マニラ経由でアカプルコに輸出され植民地のスペイン人に届けられたのだ。江戸時代長崎の四つの町空間も興味深い。①町人や地役人、②長崎奉行と下僚たち、③九州各藩蔵屋敷の武士、④オランダ人と唐人。

隠れキリシタンから原爆体験まで歴史的教訓と反省を込めた案内も貴重である。この懐（ふところ）の深い町を知るうえで信頼できる案内書が出たのは嬉しい。今秋の「くんち」などで長崎を訪れる人だけでなく、すべての日本人に是非読んでほしい本である。

■『刀剣と格付け　徳川将軍家と名工たち』

深井雅海（吉川弘文館）

将軍から大名へのプレゼント

プレゼントの授受はもらう者も受け取る者も心がはずむハレの〝儀式〟である。モノがあふれかえる現在では、絶対に誰もが最高と思うプレゼントを決めるのはむずかしい。しかし、江戸時代の武家社会では刀剣こそ最高の贈答品であった。それは昨今の刀剣ブームで女性にも人気のある芸術美もさることながら、独特な輝きと精巧な研ぎで磨きのかかった刀剣を武家の魂の象徴と見なしたからだろう。

歴史学者、深井雅海氏の『刀剣と格付け』は、亀甲貞宗や包丁正宗はじめ国宝の刀剣や、道誉一文字などの御物を美しい写真で紹介すると同時に、刀剣が武家社会で果たした儀礼的な役割を多色刷りの図を交えて説明している。

ことに徳川家と大名家との刀剣贈答は、初代家康から十一代家斉までの間に一八四一件も行われた。そのうち家督相続の御礼が四〇八件、致仕（隠居）御礼が一三七件にも上った。

将軍も大名の参勤交代における国許への暇乞い、褒美、大名邸への御成りの際の下賜品に刀剣を惜しまずに使ったものだ。もちろん刀剣・刀工にもランキングがあり、最上級の刀工は粟田口国吉、同吉光、越中義弘（郷義弘）、相州正宗の四人だけだったようだ。

将軍の下賜品といえば刀だけでなく、金銀も含まれる。しかし、下賜品の中でも刀は断然トップに置かれた。江戸城中でどの部屋が使われるか、着座の際の将軍と大名との距離はどのくらいか、誰が下賜品や献上品の進達をするのか。このあたりの流れるような儀式の進行は、江戸城儀礼の華といってもよい。

深井氏によれば、尾張徳川家八代目の義淳（のち宗勝）の家督相続御礼は、将軍の生活空間「奥」に一番近い「表」の儀礼空間、黒書院で行われた。

黒書院は、大広間や白書院よりもやや小ぶりだったが、それでも上段（一八畳）・下段（一八畳）・囲炉裏の間（一五畳）・西湖の間（一五畳）からなり、周囲を入側（縁頬）で囲まれていた。入側は約一九〇畳相当の広さで畳を敷いてあった。

さて、献上の刀は下段上から四畳目、銀は五畳目に置かれた。しかし、老中たちでさえ下段には入れず、入側の左上から一畳目、（献上品を）披露する役目を担った月番老中は中央寄り二畳目に坐したにすぎない。

義淳の場合も下段六畳目、つまり、刀よりも下座から、縮緬と同じ並びで上段の将軍に拝謁したのだ。御三家筆頭（尾張徳川家）の義淳でさえ下段最末座であり、刀よりも後方に控えるあたりにも、刀が一段と格の高い献上品であることがわかる。

刀剣をはじめ、膨大な献上品や下賜品はどこに保管されたのだろうか。それは納戸方と腰物方と呼ばれる、「表」の広い東側空間である。黒書院のほぼ二倍の空間が贈答品の管理と保管に割り当てられ、刀だけのために腰物方が設けられたのだから、いかに刀が幕府儀礼の中心を占めていたかを理解できるというものだ。

贈答文化の観点から令和の新時代を迎えるのも興味深いのではないか。

■『細川忠利　ポスト戦国世代の国づくり』

稲葉継陽(つぐはる)（吉川弘文館）

創業者と後継者

創業者と後継者との関係はいつの時代も厄介なものだ。戦国期を駆け抜け江戸時代にも活躍した細川忠興(ただおき)のように、耳に快い称賛ばかりに慣れ、国家のかじ取りや政治活動の場で、「燦然と明るく照らされ、誰からも丸見えの場で、自分自身が成し遂げたこと」（古代ギリシアの哲学者クセノポン）の喜びを後継者に譲る気がなかった隠居もいる。忠興のような型の人物は、老齢とともに人びとの感謝や称賛の言葉が薄らぐことに我慢がならない。

忠興は立派に育てた忠利(ただとし)を家督継承者に定めても十七年間も引退せず、忠利は元和七年（一六二一）三十六歳でようやく当主になった。三齋(さんさい)と号した忠興は中津城に隠居後、旧臣たちが機嫌伺いに来ないと忠利に当たりちらした。これは戦場と同じく政治でも盛りの時期が過ぎた現実を忠興がまだ直視しないからだ。忠利が「用所」（用件）を言いつけて不参を指示したと疑い、「国中に有りなから今迄参らざるは存外の儀かと存じ候」と不満たらたらなのだ（元和七年九月五日付忠利宛三齋書状案『細川家史料』一）。驚いた忠利は「沙汰の限り」とまず老父に相づちを打ちつつ「誰々参り候か、参らず候か存ぜず候間、せんさく仕るべくと存じ奉り候」と調査を約束したが、武具甲冑をつけぬ忠興の口煩さには、立派な子でもほとほと閉口させられたに違いない（元和七年九月五日付三齋宛忠利書状案『細川家史料』八）。

最近出された稲葉継陽氏の『細川忠利』は本当に面白い本だった。三齋の中津隠居領三万七千石は軍役などを免除されたので、年貢収入はまるまる隠居の手元に残った。無役ゆえに財政が潤沢であり、何と隠居の翌年に米数千石を利子四割か五割で本藩に貸与し、十貫目の丁銀を利子二割で本藩に貸し付けたというのだ。

プルタルコスもどきにいえば、三齋が疲れないのは金もうけをしているときだけだと揶揄されても仕方がない。舞鶴が躍動するような甲冑姿を戦場で誇った武人の老後は美しくない。忠利には、三齋の嫌いな小堀遠州（政一）とも共通する行政統治の才があり、藩と百姓をつなぐ惣庄屋の顔触れを着実に改めたのも面白くない。

三齋は、ガラシャ夫人の死後に寵愛した女性との子・立孝が育つに従って偏愛もつのる。「御家」だけを見て「御国」の経営に無頓着な戦国生き残りの忠興と、「御家」と「御国」

が一つの「御国家」として止揚されるべきだと考えた忠利との違いも大きい。救いは忠利が忠興の老人特有の惨めさに恥を上塗りさせる行為を避けたことだ。父子不和を表に出さない忠利の分別である。しかしストレスの代償は大きく、忠利は寛永十八年（一六四一）に五十六歳で父に先立つ。「教科書的な次元を超えたリアリティー」と彼の統治を評価する稲葉氏の仕事は、理想的な統治を模索した地味な為政者の姿を浮き彫りにした。

かねてガラシャと忠利ひいきでもあった私にはまことにうれしいことである。

■『不忍池ものがたり　江戸から東京へ』

鈴木健一（岩波書店）

高雅さだけでなく江戸の庶民性も感じさせる文化的奥行き

「しのばずの池のおもひろくみゆる哉うへの丶岡に月はのぼりて」

樋口一葉の歌である。不忍池を描いた文学作品は多い。森鷗外の『雁』は医科大学の学生と高利貸の妾を点描しながら、比叡山と琵琶湖に模してつくられた東叡山と不忍池の自然風景も浮かび上がらせた。竹生島のように中島にも弁財天が祀られ、京の権威がそのまま江戸に移されたのは、天台宗総本山として寛永寺を創建した僧・天海の深謀であった。

本書は、不忍池をめぐる歴史と文学を鈴木氏が活殺自在に描き切った労作である。

不忍とは、「忍びの岡」から出たというのが本居宣長の説である。鎌倉時代に出てくる「しのびの岡」という優雅な地名をわざと否定して池の名前にしたのでは、と鈴木氏は考える。

江戸時代の不忍池は、蓮料理と料理茶屋で知られた名所である。隅田川・浅草寺に匹敵する名所にほかならない。吉原と同列に扱えるかどうかと著者は慎重ながら、江戸中後期には茶屋が男女の逢引に使われ、色めいた盛り場だったことも間違いない。

出合茶屋で男女が逢うのは忍ぶ恋なので、上野忍岡にあるのは当然だという川柳もある。「出合茶屋しのぶが岡はもっともな」をはじめ、不忍池を詠んだ傑作が『誹風柳多留』に多く載せられている。もう一つだけ、「弁天を連て蓮飯喰に行」。弁天とは美女のことだ。

広重の『名所江戸百景』にある湯島の坂から見た雪の池と中島の光景は忘れがたい。寛永寺という徳川家ゆかりの名刹や、加賀前田家上屋敷の裏手にありながら、高雅さや権威だけでなく、江戸っ子の庶民性も感じさせるあたりに、不忍池をめぐる文化の深い奥行きが感じられる。

著者も言うように、池とはもともと庭園の一部であり文化的なものだという説は不忍池にも当てはまる。

明治天皇の御製は平成最後の四月にもふさわしいものだ。

「不忍の池の上野の桜ばなかかげをうつして今やさくらむ」

■『小早川隆景・秀秋　消え候わんとて、光増すと申す』

光成準治（ミネルヴァ書房）

秀秋は「いつ」裏切ったのか

小早川隆景は若年の養子・秀秋を何かと思いやった。それは豊臣秀吉の甥だった秀秋への気遣いである。

光成準治氏の新著は、「沈断謀慮」の人・隆景と裏切者・秀秋という固定観念を否定し、秀秋を養子に貰ったのは毛利宗家の血縁維持のためではないと説く。

毛利の分国は八か国でも多いのに、筑前を隆景が貰うことで毛利一族九か国となるのは、いずれ毛利の仇になると考えた。そこで秀秋を自分の養子に迎えて、秀吉へ自然に領土を返し、毛利輝元の補佐として中国地方に戻るシナリオを描いたというのだ。確かに秀吉は、秀秋を九州に置く構想を抱いていたので先手を打ち、秀吉没後の天下の混乱を乗り切る戦略的布石を打ったという解釈は説得力に富む。

また、関ヶ原合戦で松尾山城に布陣したのは、家康の西上を阻止する三成の意図からだとはいえ、三成が大垣城を出て平野で決戦するのは秀秋には意外であった。秀秋は東軍につく覚悟を早くに決め、最初から松尾山を下りて布陣し東軍として戦ったという説を紹介する。裏切りは事実であるが、戦闘中に東軍に突如鞍替え（くらがえ）したわけではない。旗幟（きし）を鮮明にする機会を逸した大決戦の勃発が秀秋をヒーローにし、かつ史上最大の「裏切り者」にしたという見立ては、なかなかに魅力的である。

確かに、秀秋は決して愚鈍でなく、「利口者」と評されるほどの才覚を持っていた。著者によれば、「勇将」になるべく努力もした。しかし若年期の秀秋に求められたのは、豊臣一門の貴人や領国支配の象徴的存在たることである。

関ヶ原の「裏切り」も本人のせいか、老臣のせいか、いずれとも定かではない。秀秋は、この汚名をそそぐために、新領地・岡山で「名君」たらんと決意した矢先に病死し、領主生活は二年で終わった。兄木下俊定も同年同月に死ぬなど彼にまつわる謎は多い。しかし、史料の壁に阻まれて実像が不明だった秀秋に迫った意欲的な挑戦は評価されて然るべきだろう。

■『シリーズ三都　江戸巻』

藩邸、社寺、町駕籠などから都市の発展を多面的に論考

吉田伸之編（東京大学出版会）

江戸が成立するうえで、東西に立地した品川と浅草の演じた役割は大きい。多摩川と隅田川の河口に面した両地域は、今日まで及ぶ江戸・東京の繁栄を支え続けた。なかでも品川は、江戸の近郊地として行楽・遊興の場ともなり、御仕置場（おしおきば）などの負の側面を担う境界地域でもあった。本書はシリーズ三都の初回出版として江戸の発展を多面的に扱う文章を集めた最新の論集である。

世田谷に彦根・井伊家の藩領があったと聞けば驚く人も多いだろう。豪徳寺（ごうとくじ）近くの二三〇〇石の村が彦根藩の所領であり、藩邸で必要な労働力を御用人馬という名目で供給していた。これは農民にとり大きな負担であった。他方、江戸に永住する旗本は経済的理由から家臣や奉公人を最小限に抑えたことも興味深い。

また、主家を転々とする曲亭馬琴のような事例は珍しくない。旗本の家に仕えた馬琴は叔

父が御船手同心に婿入りし、孫に御持筒同心の株を買ってやった。江戸の町では旗本の家臣と御家人が密接に交流する素地もあった。

大都市江戸の重要な要素は社寺の存在である。

たとえば、徳川家菩提寺の増上寺は、多数の所化僧（修行僧）が学寮に生活して、将来の各地寺院の住職になる訓練をしていた。町人は立ち入りが難しく、同じ一山の浅草寺が芸能や見世物小屋を歓迎したのと好対照であった。

それでも増上寺の高い格式の故に関係を持ちたがる町人も多く、将軍権威の特権を得る抜け目のない者もいた。

江戸といえば、町駕籠も欠かせない風物だ。宝泉寺駕籠、京四つ駕籠など多くの名で呼ばれていた。江戸の町駕籠と品川の宿駕籠はまた違うのだ。いずれにしても駕籠屋が存在しなければ営業としての駕籠は成り立たない。駕籠屋とさまざまな駕籠との関係も興味をそそるテーマである。

シリーズとして出された京都巻、大坂巻と合わせて読むのもおすすめである。

■『内モンゴル 近現代史研究　覚醒・啓蒙・混迷・統合』

巴特尔（バートル）（多摩大学出版会）

独立と高度自治と自治のいずれをとるべきか

中国は一四ヶ国と国境を接する大陸国家であり、二〇一三年から着手した「一帯一路」という広域経済圏の戦略構想を推進している。このデザインに連なる中国の辺境経済圏と東北アジア経済圏の二つに重なるのがモンゴル国と内モンゴル自治区である。一九一一年のモンゴル独立宣言に入らなかった内モンゴルで繰り広げられた民族運動は、中国国民党・中国共産党・ソビエト＝ロシアそして大日本帝国と関東軍という多彩な政治アクターの関与と干渉に翻弄された。複雑な状況下の内モンゴルは、独立と高度自治と自治のいずれをとるべきなのか。本書は、モンゴル民族の誇りと実存をかけた難しい選択に挑戦するモンゴル人指導者や民衆の姿を歴史と国際関係の中で描いた力作である。

一九二〇年代に入ると内モンゴルといっても、中華民国の熱河省（ねつかしょう）と重なる二盟（めい）・二〇旗（き）の実在する区分は無視され、モンゴル人の土地に漢族農民が開墾入植してモンゴルの王公も

「巨戸」にすぎなくなった。盟・旗のモンゴル統治と省・県の行政権をいかに共存させるのか。この難問解決は、モンゴル人の側に新旧の王公対立を引き起こした。その分裂に中華民国や関東軍が介入する隙を与えたのである。そのなかで注目すべきリーダーは、徳王（デムチュグドンロブ）であった。

日本の敗戦、ロシアの意を受けたモンゴル人民共和国の思惑、中国の国共内戦など、歴史のめまぐるしい変動によって、徳王も内モンゴルも政治の激しい嵐に翻弄され続けた。とはいえ、まがりなりにも日本に認めさせた内モンゴルの自治権を共産党は無視できなかった。

著者は、内モンゴルの民族運動の各段階で近代的な思想と知識に触れたモンゴル人知識青年の役割を重視する。彼らの多くは日本を留学先として選んだが、これは奇しくも現代日本のモンゴル人留学生の状況と一致しているというのだ。日本と日本人が内モンゴルの経済や文化に対して、何がしかであれ貢献できたとすれば喜びこれにすぐるものはない。

■『徳川の幕末』

松浦　玲（筑摩選書）

外交官岩瀬忠震の不手際

徳川十四代将軍・家茂が大坂城で急逝したとき、二十一歳の若い死を嘆く者は三名だけだったと悼むのは越前の松平春嶽である。あとの二人は、老中の板倉伊賀守勝静と勝安房守義邦（海舟）だった。保身をはかる他の幕臣はすぐに一橋慶喜をかつぐ有様である。幕府に人がいなかったわけではない。ただ統制麻のごとく乱れる末期症状を呈していたのである。

一橋派や開明派といっても、開国や改革の意味を正しく理解していない点に幕府の悲喜劇があった。一例として著者は、日米修好通商条約交渉でハリス領事による同種貨幣の同じ重量による交換を認めた岩瀬忠震の不手際を紹介する。

重量だけで銀を比較すると日本の一分銀はメキシコドルの三分の一の価値にすぎない。銀の価値が高い日本でハリスの保有貨幣を三倍に化けさせる仕掛けを認め、金の大量流出を引き起こした。「解っている筈の岩瀬」がハリスの詐欺まがいの外交トリックにはまったのだ。「岩瀬の罪は重い」と言うのは正しい。せめて対米交渉に水野忠徳をもってくればこの詐欺に引っかからなかったかもしれない。水野は、日英関係を巧みに処理し、日米修好通商条約にも慎重な姿勢を示した人物である。本来なら条約批准書の交換で渡米すべき人材であった。岩瀬と水野では開明派官僚といっても能力や識見に格段の差がある。人事のミスマッチこそ幕府瓦解の深刻な要因だと本書に教わる。

著者は日米修好通商条約調印が不可避だと朝廷に説明するために、成算なく上京して勅許を拒否された老中・堀田正睦にも厳しい。堀田は幕威を落すために京都に出かけたと言われても仕方がない。これと比べると、政争や情勢分析の失敗を重ねながらも、次第に経験と粘りを増す松平春嶽への冷静な評価が際立つ。建設的対案をもたずに御三家の権威をふりかざす水戸斉昭らに対して、門閥譜代を率いて幕政を主導する井伊直弼の決断力とリーダーシップの苦労にも目配りを怠らない。

■『その日信長はなぜ本能寺に泊まっていたのか　史談と奇譚』

中村彰彦（中公新書ラクレ）

戦国や幕末の知られざる逸話を巧みに捌く歴史随筆集

歴史小説家の中村彰彦氏は、秀逸なエッセイストとしても知られる。この歴史随筆集は、誰もが疑問を持つテーマや、知られざる逸話を中村氏独特の技で巧みに捌(さば)いている。信長が何故に法華（日蓮）宗本能寺を宿所としたのか。

それは安土宗論で浄土宗に論破されて京都から追放同様になった法華宗の寺院が空き寺になっていたからだ。なかでも本能寺は伽藍(がらん)と三十余坊の塔頭(たっちゅう)を有する一大本山であり、信長が座所を設けるのに最適だったのである。

薩英戦争の講和談判で、大英帝国の全権と渡り合った重野厚之丞(しげのあつのじょう)を取り上げている随筆では、常に英国人の意表をつき、先手をいつもとる見事な外交術を示した薩摩隼人(はやと)の冴えを描く。重野は幕府の学問所に派遣された薩摩藩きっての秀才であった。英国人相手の外交交渉に派遣されると、自分がこれからイギリスに出かけて直談判するとか、英国軍艦を購入したいとか、大胆きわまる主張をしてやまない。重野は新政府で外交官になったかと思いきや、実は東京大学の史学科の創始者として学界に足跡を残した。幕末の人材は何をしても頭角を現したのである。

新選組の武田観柳斎はもともと出雲人なのに、甲州流軍学を江戸で学んだので信玄とのつながりをちらつかせた。ハッタリで旧名・福田広を改めたのである。近藤や土方も三多摩(さんたま)の出身で、武田信玄との縁に触れたがる気質を利用して新選組でのしあがったというのだ。

「『坊ちゃん』の「幕臭」について」は、漱石の名作を佐幕・反幕で腑分(ふわ)けする秀逸のエッセイである。幕府御家人の出の坊ちゃんが狸・赤シャツらの反幕派と衝突して帰京、街鉄技手になったのも佐幕派だったのと無縁ではない。

工手学校(こうしゅがっこう)(現工学院大学)はじめ街鉄(後の都電)には「幕臭」を持つ者が多く、雰囲気もなじみやすく落ち着いたのは本当かもしれない。ついでにいえば、漱石も三方ヶ原の戦いで家康の命を救った夏目吉信(よしのぶ)の末裔なのである。作者も小説の主人公も幕臭ぷんぷんなのだ。

■『潜伏キリシタン図譜』

潜伏キリシタン図譜プロジェクト実行委員会（かまくら春秋社）

雪のサンタ・マリア

『広辞苑』の編者で知られる新村出（しんむらいづる）に「雪のサンタマリヤ」という美しい随筆がある。一六〇三年（慶長八）の雪の聖母の記念日（八月五日）に死んだ、無名の日本人男性の墓碑から話を説き起こし、真夏に雪が降った夢を見た教皇と信徒夫婦が、積雪の場所に教会を造った麗しい縁起談を日本文化史に位置付けたものだ（『南蛮更紗（なんばんさらさ）』所収）。長崎の潜伏キリシタンが信仰の支えにした雪のサンタ・マリアの聖画と近世キリシタンの墓碑の話が『潜伏キリシタン図譜』の出版によって、美麗な多色刷り写真と重厚な解説でよみがえったのは驚きである。

この図譜はもともと高祖（こうそ）敏明氏らカトリック関係者や、五野井（ごのい）隆史氏ら教会史の専門家による壮大な営みであり、フランシスコ・ローマ教皇の序文も付されている。潜伏キリシタンの歴史的役割と文化的価値を日本の精神史や宗教文化史に多面的に位置づけた点で、カトリック史のみならず日本史研究にも貢献する本格的な出版物となった。ただ、高価な本なので、大学や公共の図書館でぜひ一般読者の閲覧に供していただきたい。

感心するのは、著名なキリシタン史料が文書を含めてかなりカラー化されたことだ。「聖フランシスコ・ザビエル像」「南蛮屛風」「天正遣欧使節肖像画」は誰でも一度は見たことがあるに違いない。また、「ポルトガル国印度副王信書」の息を呑むほど美麗な意匠、教理書「どちりいな・きりしたん」の迫害から逃れたたくましさ。いずれも年輪を重ねた歴史の厚みを感じさせる文化遺産である。

私が訪れた長崎県平戸市生月町博物館「島の館」にある遺物を、手元で何度も見られるのはこのうえない喜びである。メダル・十字架・お札・水瓶・聖母被昇天の絵画は潜伏キリシタンには欠かせぬものだった。聖母子と二聖人（ロヨラとザビエル）が描かれる絵や、個人蔵ながら、髷を結った和服姿の洗礼者ヨハネがヨルダン川畔を歩く姿を見て不思議な感慨を抱く人も多いだろう。板や銅や真鍮でつくられた踏み絵の数々も今では恩讐を超えて、潜伏キリシタンの存在を後世の日本人に伝える重要文化財となっている。

徳川家康に仕えながら棄教を承諾せず新島・神津島に流された「ジュリアおたあ」の絵、蝦夷地（北海道）をはじめ、北方世界の情報を伝えたイエズス会のアンジェリス神父の地図などは、近世文化史の貴重な史料でもある。津軽家当主たちの木像や絵像、「松前屛風」などキリシタン史料でない美術品も収められている。他方、長崎・外海の潜伏キリシタンが信仰した雪のサンタ・マリアの絵は、和風の掛け軸に収められており、その古雅なたたずまいには感動する以外に言葉もない。そして、新村出の紹介した「聖マリヤの雪殿」や「ゆきのサンタ丸や」なる和名の奥ゆかしい響きを知る者にとって、この『図譜』で雪のサンタ・マリアの絵を、彼女の昇天した暑熱の八月に私が鑑賞できたのは、申し分ない涼味というべきではないか。

■『恋する日本史』

『日本歴史』編集委員会編（吉川弘文館）

不義密通が美化される宮廷文化の名ごりは現代にも

山県有朋らは江戸占領後に新吉原で遊んだとき、野暮なことに、彰義隊贔屓の芸者といざこざを起こした。新政府軍を嫌い旧幕府や彰義隊の男たちを好いた江戸の遊女や芸者の気っぷは今に語り継がれている。箱石大氏の「勤王芸者と徳川贔屓の花魁」は、二二の論文全体の魅力を代弁する佳品である。

本書を読めば、現代風に言うと、恋と不倫はぎりぎりで重なることに気がつく。不義密通が王朝文学として美化されるのは、日本の宮廷公家社会に独特の文化であり、現代社会にもその名ごりが見られなくもない。江戸時代に入っても幕府の厳しい禁裏統制をかわして密通は絶えなかった。

松澤克行氏が紹介するのは、明和二年（一七六五）の有栖川宮家で発覚した十五歳の近習と四十歳を越えた女房・花小路との密通である。これほど年の差を忘れた密事も珍しい。

一度追放されて常磐木（ときわぎ）と改名した女は、三か月ほどで病気がちの宮の看護で召し戻され、玉野井、ついで菖蒲（あやめの）小路と名乗って再勤した。しかし二年たつと花小路は一回り年下の筆頭諸大夫と関係を持ち、また外に出される。驚くのは、四か月後にまた京都に戻り、まもなく宮のもとに帰ることだ。性懲りがないのである。

花小路を戻したのは、彼女と宮との間にできた親王と女王の意志による。母がいないと父が可哀そうだという親孝行は見上げたものだ。家臣と不義を重ねた母への情を父の面子よりも重視したわけだ。

花小路の密通は、この二回だけでなく、他にも四、五回あったというから、恋多き女というにふさわしい。しかし有栖川宮はあくまでも偉いのだ。自分が恋している女なのだから、中のことは好きにさせてくれと言わんばかりに、仕える諸大夫ら家臣が花小路排斥を宮に迫っても、彼らを「敵」呼ばわりして受け入れない。寸時も彼女と離れたくなく、五十七歳で死ぬまで恋をしおおせた。花小路は仏門に入って九十三歳の天寿をまっとうした。ひたすら宮の菩提を弔（とむら）ったのか、新しい出入があったのかまでは、松澤氏も書いていない。

■『徳川秀忠』

山本博文（吉川弘文館）

自分の限界を知る嫉妬深い将軍

徳川秀忠のように家康という偉大な父を持つ人物の精神と人格の形成には、どこか不自然な屈折感がつきまとう。私は、それを『文藝春秋』の連載「将軍の世紀」で「律義な秀忠の苛烈さ」と呼んだことがある（「父と子」平成三十年九月号）。

歴史学者、山本博文氏の人物叢書『徳川秀忠』を読むと、この創業二代目にはよく言えば慎重、悪く言えば臆病がつきまとうことを改めて感じた。家康なら嘘をついても評価する人間がいる。しかし秀忠の嘘をあえて評価する者はいない。秀忠は自分の器を知っていた。大きな嘘を政治的に語れる家康のような器量はないということだ。

ツギハギだらけの小さな嘘をつかなければ誠実に見えそうだが、政治では真実を語らない技量を大きな嘘というのである。小さな約束や文書に拘泥して誠実さだけを気取っても、真の同盟者や友邦はついてこない。家康は人を集めるツボをよく知っていた。山本氏の新著からも、大きな利益と信頼を得る大局を重視した家康の大きさに怯えるような秀忠が浮かび上がる。

秀忠の小心ぶりがよく出るのは、異母弟の忠輝(ただてる)らを改易に追いこむ手口と切迫感である。自分の限界を知る秀忠は、ベストの将軍ではないことをよく知っていた。それだけに血族のライバルに異常な猜疑心を燃やした。徳川十五代で一番嫉妬深い将軍だったのではないか。これは大名や家臣の改易にも表れる。

広島四九万八千石の福島正則を取り潰したのは、武家諸法度の条文に反して城壁を補修したからだ。文書にこうあるから違反・改易という筋道は、家康なら政治の全局を見据えて下す決断であり、徳川家の内部事情で考えるわけではない。本多正純(まさずみ)はじめ年寄たちは豊臣秀頼を滅ぼしてまもなく秀吉恩顧の大名を除くのに慎重であった。家康のブレーンでもあった正純は大きな状況判断ができる人材であったが故に、まもなく秀忠に改易される。秀忠には命令だけを聞く部下がいればよかったのだ。

山本氏は秀忠が「ごく一部の者以外は家臣を信頼していなかった」と語る。正則の改易は、多種多様な要因を考慮して政治を運営するのではなく、感情と法度(はっと)のままに決断する、ある種の権力者特有の性格が出たものである。山本氏は、政権主体として秀忠が断固たる措置を取れば威信が高まると信じたとするが、大事なのは「これがいつも通用する政治運営だとは思えない」という点だ。秀忠には「自分が軽んじられているという屈折した感情」があったようだ。

他方、正則が抗弁をしなかったのは、相手が秀忠だったからである。家康なら理不尽な仕打ちだと抗議すればわかり合える共通の土台もある。しかし正則は秀忠には口を開くのも不快だったのだろう。「こんなことで改易になるならそれでもよい」という反抗の裏返し、諦観（ていかん）があった。豊臣家の滅亡が心の底に暗い影を落としたのはその通りだ。同時に、二代目に取り合わないのは、戦国生き残りの勇士の意地と矜持（きょうじ）があったからである。

■『攘夷の幕末史』

町田明広（講談社学術文庫）

幕末期の対立構図は「大攘夷VS小攘夷」

二〇二〇年のコロナ禍は既成の常識や思い込みを随分と変えてしまった。歴史学でも尊王攘夷を討幕派、公武合体を佐幕派と考えがちな傾向に疑義が出された。著者は、幕末の文久年間（一八六一―六四）で言えば、日本人は例外なく尊皇であり、攘夷だったという見方を出している。日米修好通商条約を締結した井伊直弼は、攘夷を放棄した開国派と見られがちだが誤りである。むしろ井伊も長州藩も攘夷で変わるところはない。違いは、大攘夷か小攘夷かという点だけである。大攘夷とは異国と本格的に戦うにはまず国力をつけて充分な武備をそろえることが必要であり、小攘夷とは彼我（ひが）の力量の差を顧みず実力行使に訴え、外国人殺傷も是とする立場であった。

著者はペリーが来る五十年前から日本に脅威を与えた外国としてロシアを挙げるが、これはまことに正しい。ロシアは東アジアの一員でもあったという指摘は慧眼（けいがん）である。鎖国日本は、二百五十年ほど一国平和主義で農工業も発展し繁栄を謳歌した反面、戦うべき武士集団が軍事能力を喪失するという世界史でも稀有の現象が起きていた。

攘夷のさきがけとなる思想家はロシアの脅威を直感した東北から生まれた。工藤平助や林子平は仙台・伊達家に縁のある人物だった。公儀と呼ばれた幕府は子平などを登用せず人材抜擢をしなかった。代わりに松平定信など幕府の門閥政治家は、朝廷の協力を取り付けて、幕府があたかも朝廷から大政委任を受けて政治をとっているかのように振舞った。これが尊皇を攘夷と結びつける間違いのもとになった。

日本人は小さな外国船を追い返し、上陸した船員を殺す匹夫の勇を見せたが、幕府は鎖国政策を見直す戦略的思考を生み出せなかった。著者は幕府関係者が攘夷を果たせなかった限界に同情的だ。とくに外国奉行の岩瀬忠震への評価は高い。米国のハリス総領事からも恐れられた岩瀬こそ究極の「攘夷派」だったのかもしれない。

Novels

『繭と絆　富岡製糸場ものがたり』

植松三十里(みどり)（文春文庫）

勧業時代の逸話をちりばめた勤労女性の愛と友情

当世ではまぶしいほど純粋な男女の愛と信頼に結ばれた物語である。

主人公は、世界遺産指定で有名になった富岡製糸場の最初の工女となった尾高勇(おだかゆう)。その父惇忠(あつただ)は場長でもあり、元は学識豊かな村の名主を務めるかたわら、若者たちのために塾を開いていた。

彼は、工女に論語や生花など倫理や教養を身につけさせながら、フランス式の近代製糸機械の使用を習得させる。その模範となるのが勇であった。勇は、糸繰り用と茹でる用の釜をそれぞれ二つずつ駆使しながら、生糸の巻き取りにむらが出ない巧みな技を自在にし、他の工女にも親切にコツを教える。

無口でもいちはやく熟練工になる敬や、不平不満たらたらながら憎めない器量良しの貴美との友情や葛藤の場面は、さながら映画の情景そのものである。ウィーン万博出品の特級生糸の二等進歩賞入賞や皇后・皇太后の工場行啓(ぎょうけい)など、明治の勧業時代を偲ばせる逸話も巧みにちりばめられる。

小説の細部は、女性が初めて市民社会に出て勤労の意味を知り、愛する男と互いに信頼しあう喜びに充ち溢れている。

勇の叔父は明治資本主義の父とも言える渋沢栄一であり、惇忠の教え子だった許婚(いいなずけ)の永田清三郎は第一国立銀行専務の養子に入って成功する。このあたりは、生糸製造とフランス人お雇いと官業の民営化などの筋も絡み、小説から自然と日本資本主義発達史の一コマを知ることもできる。

技術指導のフランス人たちの帰国を送別する勇たちの女歌舞伎のあでやかさ、権力闘争の犠牲となって富岡を去る惇忠と勇の寂しさなど、筋の展開は起伏もあり読者を飽きさせない。

小説は勇が清三郎と結婚するところで終わるが、史実では五男三女を儲けて六十四歳で幸せな一生を終えたらしい。

いずれ、本格的に映画かテレビドラマになる作品であろう。勇ほかの登場人物を演じる女優は誰かと想像しながら読むだけでも楽しい小説である。

第五章

現代を読み解くために

■『外交の戦略と志　前外務事務次官谷内正太郎は語る』

谷内正太郎（高橋昌之聞き書き、産経新聞出版）

志の高い外交とは

世間が外交官について思い浮かべるイメージと、本書から浮かび上がる谷内正太郎氏の個性や魅力は相当に懸け離れている。実際に谷内氏は、外務省外の人から「あなたは外交官らしくない」とよく言われたらしい。これを誉め言葉だと受けとるあたりが氏の長所であろう。氏も入省して違和感を持ったという外交官の特性とは、部外者が感じる違和感につながるのかもしれない。それはまず日常会話でも英語だけでなくフランス語が頻出することだった。デマルシュ（働きかけ）やエタブル（確立する）などは、一部の学者は別として、世間の日常会話であまり使わない語彙である。

加えて公電などで使われる「外務省文学」と揶揄される独特な用語法もある。本書で紹介される「御如才なきことながら」というのは私も初めて聞いた表現である。「御存知だろうが念のために」という意味で大使間で普通に使われるらしいが、世間からすれば帝国外務省めいた大時代な言い回しと受けとめられても仕方がない。谷内氏のいう派手な服装も一部外交官に目立つ個性であろう。三つ揃え、襟のついたベスト、カラーのワイシャツ、サスペンダーなどを着用する外交官は今でも見かける。風貌に似合う人なら素敵だろうが、お世辞にも洒落た雰囲気にならない人もいる。このあたりのちぐはぐさに違和感を持った谷内氏はまさに常識の人として外交官のキャリアを開始したのである。

谷内氏は、条約局長から総合外交政策局長を務め、さらに官房副長官補から事務次官として外務省事務機構のトップに上り詰めた人である。このような成功者にしては、思い描く外交官のあるべき姿はすこぶるシンプルなのだ。一言もってすれば「志の高い外交」を担う人材ということである。国家利益と国際公益とを両立させる外交を目指しながら、気概を忘れない外交官こそ谷内氏の理想とするディプロマットだというのだ。ここで外交論定番のハロルド・ニコルソンだけでなく、王陽明や西郷隆盛の言を引くあたりが谷内氏の面目躍如とする所以だろう。王陽明の言葉のうち、「冷に耐え、苦に耐え、煩に耐え、閑に耐え、激せず、騒がず、競わず、随(したが)わず、以て大事をなすべし」という金言が好きだというのである。また、「命もいらず、名もいらず、官位も金もいらぬ人は仕末に困るもの也。此の仕末に困る人なしでは、困難を共にして国家の大業は成し得られぬ也」という西郷隆盛の警句には、ひょっとしてどの国の大使の栄職にも出ることなく、次官で身を引いた自分の出処進退と重ねる部分もあるのかもしれない。

谷内氏は、佐藤栄作首相のもとで沖縄返還にひそかに奔走した若泉敬（わかいずみけい）氏を「至誠の人」と呼び、「国事に奔走」したとして尊敬の念を隠さない。氏は人格による感化力で沢山の人に影響を与えた西郷隆盛のような存在に憧憬（しょうけい）の念をもっているようだ。谷内氏も、文章にうかがわれる中庸の精神や冷静沈着な人柄ぶりに隠されてはいるものの、和漢洋の知識にバランスのとれた〝国士〟肌の知識人とも言うべき風貌がなくもない。このあたりの個性は、氏が次官になって進めた「攻めの外交」つまり積極外交の気概につながっていく。「時には大胆な決断をし、世界史の創造に積極的に関わっていく、歴史を切り開いていくという気概も必要だ」とは、歴史と外交との関係をきちんと整序する使命感の発露として、読む者にも新鮮な印象を残す発言に違いない。

谷内氏は、普通は本省にでんと構えている事務方トップなのに、あえて外国に出張を繰り返した異色の次官となった。それは、戦略的構想を実現する根回しや、条約局で長年鍛えた国際法解釈が不可欠な重要交渉には、直接に現地で指揮をとるのが有益だと判断したからだろう。むずかしい問題でも次官が誠意をこめて膝詰めで談判すれば、日韓関係の竹島をめぐる緊迫した難局も打開されたことを、本書で知るのも嬉しいことだ。

　なかでも、中国外務省の戴秉国(たいへいこく)次官との信頼関係構築によって、小泉純一郎首相の靖国神社参拝で停頓(ていとん)した日中関係を打開したあたりの回顧は興味深い。関係好転の背後に氏と戴次官との深い人間関係があったことを本書で初めて知る人も多いだろう。氏は、戴次官が誠実かつ律儀な人であり、この要素こそ外交官にとって重要なことだと語る。戴氏は「絶対にいばるようなことはしない謙虚な人で、気配りのできる人」であり、「大変厳しい状況でも場を和ませようとする明るい人」にして「人情味を自然に表現する人」だというのだ。二人が意気投合したのは、互いに似た人格の持ち主だったからかもしれない。日中間の歴史認識や東シナ海ガス田をめぐる対立でも、最悪の事態が避けられたのは事務方の責任者による信頼関係がつくられていたからであろう。

　谷内氏が官房副長官補から外務事務次官の時期にかけて手がけた対外政策には、日本外交史に残る重要な営みも少なくない。戦略面では安倍晋三首相と胡錦濤主席の相互訪問に結実する総合政策対話や戦略的互恵関係の確立、麻生太郎外相時代に打ち出した「自由と繁栄の弧」や中東での「平和と繁栄の回廊」の構想などが挙げられる。政策面では北朝鮮の拉致被害者とその家族の帰国や、集団的自衛権の見直しに向けた取り組みをすぐに思い出す人も多いだろう。

インタヴュアーの高橋昌之氏も語るように、拉致被害者の帰国が実現したときに、谷内氏が官房副長官補という「重要ポストにいたことは、拉致被害者やそのご家族にとって、ひいては日本にとって幸いなことだった」。高橋氏によれば、谷内氏は被害者を北朝鮮に戻すべきではないと論理的に主張したという。もちろん被害者の帰国を実現した他の外務省幹部の苦労も相当なものだったことを忘れてはならない。とはいえ、やはり拉致被害者家族が北朝鮮への制裁強化などの強硬路線を主張する以上、政府も国民も同じ路線をとるべきだという高橋氏のコメントは、国民大多数の考えであり谷内氏の信念にもつながるのだろう。

日露関係の進展が芳しくなかったことは、谷内氏も率直に認めている。北方領土の返還問題が日本国内で複雑化したのは、外務省や政界の人間関係もからんだものだとかなり踏み込んだ発言をしている。何よりも、鈴木宗男衆院議員を地味な外交に取り組んだ異能の政治家と評価し、外務省を休職中の佐藤優氏を強烈な政治的意思と筆力を持つ異能の人と見なしている。「筆力も優れており、現在の活動は佐藤氏の特性に合っているような気がする」というくだりは、佐藤氏の能力に対して前外務次官がぎりぎりに表現できる好意のように感じられた。さらに私にとって興味深いのは、千島列島が本来、平和裡に樺太・千島交換条約によって日本領有に帰したものであり、原理原則を言うなら、千島列島全体が日本に返還されるべきだという氏の考えである。それでは、何故に日本は四島返還を国是としたのだろうか。ここで氏は国際法と主権原理との関係にまつわる明快な解釈を展開する。

「サンフランシスコ講和条約によって、日本が放棄した千島列島（ウルップ島以北の島々）は、敗戦の結果として甘受せざるをえなかったもので、これを今さら争うことはできない。このような条約は一般に処分的条約（dispositive treaty）と言われ、事後にその内容を争うことは、国際秩序の平和と安定に大きな脅威を与えることになるので、許されざるものとされているのだ」

結局のところ、谷内氏によれば、北方領土問題の解決は、日露両国民がこれならやむをえないという「一応の納得がいく解決策」を現実的に探求する仕事ということになる。この点について高橋氏は、ソ連崩壊という局面の重大さを当時の外務省や自民党が理解せず創造的な外交を展開できなかったからだとコメントしている。これはまず正しいだろう。両氏ともに触れていないが、私としてはドイツのコール首相が間髪を容れずにゴルバチョフ大統領と巧みな信頼関係を築き上げ東西ドイツの統一を実現した政治手腕を、日本も外交史としてきちんと学ぶ必要があると考えている。

いま（二〇〇九年）から二年前の安倍政権のときに日米関係で重要な集団的自衛権の問題を議論する安全保障懇談会がつくられたのも、谷内氏の尽力に負っているのだろう。安保懇の活動は実らなかったが、議論された四類型は今後の大事な手がかりにもなるはずだ。①公海上で日本艦船と共同訓練中や伴走中の米国艦船の防護、②米国に向かう弾道ミサイルの迎撃、③ＰＫＯ活動中の自衛隊が他国部隊の危急時に駆けつけ支援すること、④ＰＫＯ活動中の他国部隊への後方支援。こうした問題を論じるときに、首相の指揮下にあるはずの内閣法制局が政府全体の意見をまとめ、国際的に通用しない憲法解釈を維持する現状に谷内氏は相当に不満らしい。他方、安全保障や防衛とは関係のない役所から法制局に出向させられた役人の苦労も理解できるあたりが、温厚な氏の優しさとも言うべきなのだろう。

残念なのは、「自由と繁栄の弧」という久々の戦略的な外交思考を折角打ち出したのに、麻生外相や谷内次官の退陣とともに構想が有名無実になったことだ。どこの国から正面きって反発が出ているわけもなく、日本が口先と実際の行動のギャップを埋める雄大な外交努力が反故（ほご）にされたのは遺憾と言うほかない。創造的外交の具現に他ならない「自由と繁栄の弧」の構想は、自由、民主主義、基本的人権などの普遍的価値を共有する国の発展や相互協力を目指す青写真でもあった。高橋氏は、この構想が麻生外相個人の構想と理解された結果、その後の外務大臣はすっかり忘れるか、消極的になってしまった。「そうであってはならないと思う。将来の世界情勢を考えると重要な構想だけに、外務省、とくに外務大臣をはじめとする首脳は継続的に取り組んでほしい」という高橋氏のコメントに私も賛成したい。

闊達な谷内氏であっても、あまり触れたくない話題もあるようだ。それは田中真紀子外相のときに、外務省の同僚と大臣との板挟みになって苦しい立場に陥った経験である。谷内氏には高級官僚らしく「吏道」という考えが確固としてあるようだ。誰が大臣であろうと、大臣を支えて政策を企画・立案し、実施する職業的責任のことである。大臣に問題があっても、任命権者は首相である。田中氏を外相から引きずり下ろそうとした外務省一部幹部のような立場をとらなかったという説明には、少しも無理はない。実際に小泉首相によって解任された田中氏は政治家としての資質の有無をその後問われ、一時は議席も失う試煉を受けたのだから。

どれほどの高級官僚であっても所詮役人であり「吏道」をはずれてはならないという主張には同感できる点が多い。ただし、あまりにも識見や理性が欠如し基礎教養もない政治家がこれからも大臣になった場合の対処法については谷内氏も触れていない。やはり「吏道」に忠実ということになるのだろうか。

いずれにせよ、政治家間の暗闘や省内派閥の争いを細かく語らないのは氏の見識というものであろう。ましてや愛する職場でトップに上り詰めた人間が古巣の人事や政策の微妙なアヤを評論家のように批判的に触れるのは、気品に欠けるだけでなく、リーダーシップの責任を取る者にふさわしくない。わずかに心境を山本周五郎の名作『樅の木は残った』の主人公・原田甲斐に仮託する谷内氏に、内心の苦衷を十分に察することができるというものだ。「誠篤ければ、たとえ当時知る人無くとも、後世必ず知己（ちき）有るもの也」という西郷隆盛の言こそ、おそらく谷内氏の胸の裡（うち）に通じるものにちがいない。

■『地政学の逆襲　「影のCIA」が予測する覇権の世界地図』

ロバート・D・カプラン著　櫻井祐子訳（朝日新聞出版）

中東の「怒りの表出」を地形や人口学から読み解く

変動する世界を理解するには、地形図や人口学の知識も有用である。それによって、従来の外交政策の分析は複合的になるだけではない。数世紀というスパンで物事を考える歴史学のように地理学も大きな役割を果たすことができるからだ。こうした著者の立場は、日本人拉致で注目を浴びているイスラーム国の問題や中東の特質を考える上でも参考になる。

たとえばイラクは、人間の通る道に二つの大河が直角に交わることで人間同士の対立を招き、それが悲観主義を育(はぐく)んできた、と著者は指摘する。他方シリアは、「無秩序に広がる砂漠のうえの人為的な領土」であり、アラブ世界の震源地であり続ける。北のアレッポは首都ダマスカスよりも、イラクのモスルやバグダードと強く結びついているという指摘は、現在の中東情勢を考えるときに大いに興味深い。

いま（二〇一四年）日本が人質解放で頼っているトルコは、時計回りにバルカン半島、黒海、ウクライナ、ロシア南部、カフカス、アラブ中東に勢力を及ぼす「混沌のなかの安定した土台」に他ならない。

一方イランという「古代世界で初めて超大国になった国」は、シーア派の広がりもあって、その大きさが正式な地図の枠組みよりも大きかったこともあり、小さかったこともある。この伝でいけば、いまイスラーム国がシーア派を敵視するのは、一九七九年イスラーム革命の持続力を支えた官僚機構と治安部隊の緻密（ちみつ）な運営によりイラク、シリア、レバノンに拡大するイランの力と脅威を正確に測定していたからとも言えよう。

著者は、中東の都市化と情報化が進むにつれ、大衆の怒りの表出はさらに激しくなると不気味な警告を発する。現実や幻想を問わず、「不公平を攻撃する群衆は新しいタイプの暴徒と化し、アラブの次世代の指導者は秩序を保つのに苦労するだろう」と予測する。この指摘は悲観的だが当たっている。イスラーム国が終焉しても中東の暴力性が再燃し、持続することを予知させる本でもある。

■『「ドイツ帝国」が世界を破滅させる　日本人への警告』
エマニュエル・トッド著　堀　茂樹訳（文春新書）

■『ドル消滅』
ジェームズ・リカーズ著　藤井清美訳（朝日新聞出版）

■『対欧米外交の追憶』上・下
有馬龍夫著　竹中治堅（はるかた）編（藤原書店）

ギリシア危機をドイツの歴史から読解する

ギリシア危機が世界の金融や株式の市場を揺るがしている。確かにギリシアの放漫財政や国民の納税意識には問題がある。しかし、この危機にはEUやユーロ圏で絶対的な力を持つドイツの意思や政策も大きな影を落としている。こうした点を多面的に理解するうえで、対照的な観点を提示する三冊の書物である。

エマニュエル・トッドは『「ドイツ帝国」が世界を破滅させる』で、ユーロはドイツの利益に奉仕する貨幣に成り下がり、オランド仏大統領はドイツのヨーロッパ覇権を追認するメルケルの「第一副首相」あるいは「広報局長」にまで落ちぶれた、と酷評する。フランスはもとより、イタリアやスペインは、共通通貨ユーロのせいで平価切り下げを構造的に妨げられ、ユーロ圏はドイツからの輸出だけが一方的に伸びる空間になったというのだ。ユーロ創出以来、ドイツと相手国との貿易不均衡が顕在化した煽りをくらったのは、ギリシアも例外でない。ユーロを発明したのはフランスであり、それを最大限に利用したのはドイツなのである。財政規律の重視は、ギリシアにもたびたび強制されているが、ドイツ人は東西ドイツ統一のために大きな代償を払ったうえに、改めてギリシアやイタリアの赤字まで賄（まかな）いたくないというのだろう。

トッドは、国家が通貨をつくる能力を失った事態を冷静に眺める。各国の銀行はもはやヨーロッパ中央銀行（ＥＣＢ）の下部機関でしかない。各国の銀行は、すべて国外からの監視のもとにあり、ＥＣＢ本店はフランクフルトにあるのだ。その運営や方式はドイツ式であり、緊縮財政万能主義は自動的に不況をもたらさざるをえない。こう語るトッドに従えば、ギリシア国民の悲劇は、ドイツのユーロとギリシアのユーロの価値の差を理解できなかった自国の政治家と自分たちの責任でもあるということだろう。それは「ユーロ全体主義」の生んだ結末でもある。そして、トッドが示すフランス再生のシナリオは、多少なりともギリシアの蘇生にも参考になるかもしれない。

第一は、欧州の保護主義的再編成について、ドイツ相手にタフな対話を始める。第二に、主要銀行を国有化する。第三に、政府債務のデフォルトを準備する。第四に、教育省統括下の学校制度に新たに十万のポストをつくる。いずれも、ギリシアには示唆的であろうが、この「タフな対話」をする基礎体力さえ奪われている点こそ、ギリシア問題の本質に関わるということだろう。

ジェームズ・リカーズは、多くの点でトッドと反対の立場を取っている。『ドル消滅』でリカーズは、個別通貨に戻って輸出競争力を高めるために切り下げを実行すべきだという考えこそ、貯蓄者や小企業を収奪する国家公認の「盗み」であり、ユーロ共通通貨と「各地の習慣の継続性」との補完にEU各国の将来があると信じている。

彼は、メルケルによる「さらなる欧州統合」というスローガンを、正確には「さらなるドイツ化」を目指すと語りながらも、ギリシアやスペインのような国で単位労働コストの引き下げを含む効率的な労働力を実現させるのが難しいことを認める。

ユーロでの名目賃金を引き下げることによる内的調整は単純ではない。ギリシアや南欧の若者でも、一度も就職できなかった者は、いくら賃金を受けとるべきかについて固定した期待を持っていない。

重要なのは、ドイツがECBを支配しており、インフレを容認していないので、ギリシアなど周縁諸国での失業増大が不可避だということだろう。リカーズとトッドは、ドイツという「新しい帝国」の出現に共に着目しながら、前者はドルを犠牲にしたユーロ発展とタイアップしたドイツのリーダーシップと先見性を高く評価する。EUのモットーたる「多様性の統一」はドイツの指導性で実現するというリカーズの主張に、トッドは正面から異議を唱えることだろう。

ここで冷静に欧州統合を見られる日本の知識人外交官の著書を挙げよう。ドイツ大使有馬龍夫氏によるドイツ統一と欧州統合との比較論はまことに有益である。『対欧米外交の追憶』（上・下）で有馬氏は、二種類の統一に貢献したコール首相が「欧州があってのドイツ、欧州のためのドイツ」を主張した事実を回顧している。自ら国家や通貨の主権を廃棄して、「辞を低くして欧州共同体の規範作りに励んでいる」姿を率直に評価する。

コールは、通貨統合について平和を確かなものにするために実現する、という強い信念を持っていた。有馬氏も言うように、「マルクは戦後西独が作り出した最も貴重な国家的資産」であり、それを欧州の統合と平和のために差し出すことには国民の半分が反対していたのである。

ナチスとスターリンしか知らない東独の市民たちを抱えこんだコールたちは、七年間に一兆マルク（円換算で年間約一〇兆円）を復興のために費やした。阪神・淡路大震災の被害総額は約八兆円だというから、その膨大な金額に驚きを禁じえない。しかも、統一のコストを全国民が「連帯」して担うことには、反対の「咳一つ」聞かれなかったというのだ。

欧州統合の理念を考えれば、このような東西ドイツ統一の経験に立ち返って、ギリシア債権の一部放棄や緊急支援の発動をすべきだという感想を第三者としては持ちたくなる。しかし、それは決してギリシアが自分から言うべきことではない。ドイツ人は公的資金捻出のために「連帯税」の支払いにも同意して税負担の重圧にも耐えた国民である。そして、試練の中から有数の東独出身の政治家を育てることに成功したのだ。それは、メルケル首相や大連立の社会民主党党首プラッツェックに他ならない。ギリシア人はこのような政治家を育てられるだろうか。前途はますます暗澹（あんたん）としている。ギリシア危機を基礎的に考えるうえでも示唆を与えてくれる三冊である。

■『ブンヤ暮らし三十六年　回想の朝日新聞』

永栄（ながえ）潔（新潮文庫）

問われるのは、記者の人物鑑識眼

最近、朝日新聞については芳しくない話題が多い。朝日関係者の反論も当然出されているが、この本ほど面白くいろいろと考えさせられる作品は少ないだろう。今の若い世代には死語となった感のブンヤという言葉も、公平な取材力や広い人脈に支えられた報道を抜きにありえなかった点を教えてくれる。このエッセイ集の著者は、とにかく全天候型といってよいほど、朝日の新聞から雑誌やテレビまで、驚くほど多面的に活動した伝説的記者なのだ。人間観察のきめ細かさ、どの人間にも個性や特長を認めようとする永栄潔氏の資質には学ぶべき点が多い。

いちばん目を瞠（みは）るのは、著者には思想や政党で人を見る偏見というものがないことだ。『週刊朝日』の記者として、大日本愛国党総裁の赤尾敏（あかおびん）氏に昭和天皇の戦争責任を尋ねた後、謝礼として三万円を出したとき、「大朝日がこんなに少ないのか」と訝（いぶか）しげに、ゼロが足りないのではと真顔で訊かれたらしい。これでも多いほうだと答えると、赤尾氏は照れくさそうに、みんなでコーヒーでも飲んでくれと逆に一万円をおすそ分けしてくれそうになった。受け取れないと言うと、都知事選に出たときのポスターを土産にくれたというから、どこまでも義理堅いのである。記事も「さすが『朝日』だな」と評価し、自分が話したより巧くまとまっていると賛辞も惜しまなかった。

天皇の責任問題に話が及べば、いつでも「陛下に意気地がなかった」と言説は厳しく、永栄氏のほうが却って昭和天皇の帝国憲法下における限界を弁護する。すると心臓が苦しいのに持論を滔々とまくしたて、記者を「このバカ者！」「クズ」と面罵しながらも、最後にはよく来てくれたと労をねぎらい、玄関先まで送ってきたというから人間味の豊かな人物だったのだろう。入院してドクターストップがかかるまで「朝日ジャーナル」編集長の故伊藤正孝氏の面談に応じている。赤尾氏は、どこか敵ながらも見事だと朝日を認めていたのかもしれない。

朝日のほうでも典型的なブンヤの永栄氏や伊藤氏のように、どの取材対象にも内懐に入っていく自信と使命感を虚心に持つ名物記者が少なからずいたのだ。いわゆる「従軍慰安婦」問題で露呈した、独りよがりの使命感だけを持つ記者タイプとは異質なのだ。

私が好きなのは、五〇坪の新日鉄社宅に住んでいた稲山嘉寛経団連会長を取材で訪れたときの逸話である。子どものころ、自分はシャツでもズボンでも継ぎのあたっていないものを着たことがなかったと声をつまらせたあたりから、泣きじゃくりはじめた。「僕は、おふくろが寝ている姿を一度も見たことがない。僕が勉強を終えて寝る時も繕いものをしているし、起きると、薪で炊いたご飯ができていた。いつだって働いていた。僕はたくさんの人に会ってきたが、おふくろほど偉い人間はいなかった」。

こうして亡母の話をきれぎれに語るたびに、ひとこと言ってはしゃくりあげる。両目から溢れる涙が水気を失って久しい頬を伝い、まきに慟哭という光景に接して永栄氏もさぞ驚いたことだろう。

亡母の話になると、稲山氏はいつも同じだったらしい。著者は、むかしの母親は生活に追われていても、子どもらに尊敬されて幸せだったと感想を漏らす。

むかしの世代だけとは限らない。私などの戦後初期の世代でも、戦争から生還した夫とともに、苦労のなかで子どもを育てた母への思いは馬齢を重ねるほどに募る者が多い。私について言えば、父を若くして失った後、母から受けた慈愛に十分に孝養を尽くせなかった心残りがある。著者は稲山氏が慟哭した原因を、紳士らしく分析していないが、思うに私程度の人間とさえ共通する心残りの感情が迸（ほとばし）ったのではないだろうか。とても感動的な話である。新聞記者がこういうセンスを持つか否かは、記事内容の豊かさやコクの有無に通じるのだろう。

驚きと同時に不思議な感動が生まれるのは、滋賀県警察本部長にまつわる話である。一九七五年の土地ころがし事件に絡んで県議が逮捕された時分のことだ。

本部のトイレで用を足していた著者は、手錠をはずされた県議が県警本部長室に入っていく姿を目撃した。そのうえ、県議が出てくると、本部長が手錠をかけようとする護送警官を制し、「失礼がないよう、くれぐれもご配慮申し上げるんですよ」と優しく指示したのを見て驚愕した。本部長は県議に向かって、健康に留意するようになどと終始丁寧な態度で接したらしい。本部長の相川孝氏は、東大卒業後に巡査になりたくて警視庁に入ったにもかかわらず、上級職試験を受け直すように上層部に言われてキャリアに転じた経歴を持つ。それどころか、和歌を詠み『源氏物語』などの古典文学を読むのが趣味という「どこか浮世離れした方」だったというのだ。

永栄氏は、いつ訪ねても夫婦で歓待してくれた相川氏に事情を問い質（ただ）すと、複雑なことは何もない、ばったり本部の部屋の前で会うと県議があまりにも「おやつれ」になっていたので、少しは寛(くつろ)いでもらえると思って部屋に招き入れたという邪気のない説明だった。「本部長の善意」の書き方に苦労した原稿は、本社の段階で影も形もなくなり、本部長を一刀両断する紙面になっていた。天声人語のコラムも厳しく「くされ縁」や「へつらい」という定番で厳しく断罪していた。

どこか鷹揚(おうよう)な本部長は気にするなと逆に記者を慰めてくれた。しかし、件(くだん)の県議は否定していた収賄容疑を認めたという思いがけぬ余波が生じた。人間性とは何か、ということをつくづく考えさせられる。相川氏はしばらく人事に恵まれなかったが、やがて皇宮警察本部長になった。「ぴったりの感じ」という評価あたりに、永栄氏の人物鑑識眼と独特な感性がある。私は、永栄氏のような人物を見る目や人とのやりとりを好ましく思う性質である。この種の逸話に富む本書は、朝日新聞を多面的に評価するうえで欠かせない書物になるだろう。

■『大震災に学ぶ社会科学　第7巻：大震災・原発危機下の国際関係』

恒川惠市編（東洋経済新報社）

各国の支援と放射能問題に対する世論の動きを検証

東日本大震災は、日本の国際イメージにも大きな影響を与えた。日本は適切に震災と福島原発事故に対処したのか否か、検証が不可欠である。日本は外国による支援の申し出を相応に処理し、米軍と自衛隊の協力もうまく進んだと考えられている。

本書は、専門家による共同研究全八巻のうち、日本人があまり知らない在留外国人と各国大使館の動きを含めて、放射能汚染問題に対する外国政府と世論の動きをとりあげた示唆に富む書物である。

米軍のトモダチ作戦を別格とすれば、各診療科の専門医と最新医療機械を持ち込んだイスラエル・チームの水準が高く、エコノミー症候群に特化したヨルダン・チームの医療も奏功するなど各国の支援はそれぞれの個性を発揮した。中東はもとよりロシア、インドネシアなどの産油国のエネルギー支援もありがたかった。

トモダチ作戦は、最大時に約一万六〇〇〇名、大型空母など艦船一五隻、航空機一四〇機を投入した大規模人道支援と災害救助活動である。これは、日米両軍の共同作戦実施能力が高い水準にあることを再確認した。

興味深いのは、日本と東京からいちはやく脱出する外国大使館員や外国人も少なくなかったことだ。

いちばん早いのは、地震発生から二日後の三月十三日に被災地はおろか首都圏からの避難を自国民に勧告したドイツとフランスの措置である。大使館機能もドイツは十八日に大阪に移し、フランスは十七日に一部機能を京都に移すという疾風迅雷の動きであった。何かにつけて、どうもこの両国は信用がならない。

意外なのは、中国も韓国も泰然自若として大使館移動という風を食らう挙には出なかったことだ。しかも韓国は、中国とも違って、政府職員はもとより日本滞在中の会社員や留学生に帰国勧告を出さなかった。

国際関係から学ぶ大震災の教訓という特異な接近法は、一一章の全体に貫かれている。そのうち七章も自ら書いた編者の恒川惠市氏に敬意を表しておきたい。

■『「イスラーム国」の生態がわかる45のキーワード』

中東調査会イスラーム過激派モニター班他著（明石書店）

刑罰、教育、娯楽、通貨……ISの実態

今朝の「インターナショナル・ヘラルド・トリビューン」（二〇一五年八月十四日号）の一面を広げると、すぐに「イスラーム国（IS）の教義にはレイプも含まれる」というショッキングな見出しが飛び込んできた。ISについては、謎も多いが、なかでも女性の性奴隷化を正当化する議論には驚いた人も多いだろう。

この問題に限らず、ISの刑罰、教育、娯楽、通貨など、その実態を四五の項目に分けて平明に教えてくれるのが本書である。なかでも、多神教徒のヤジーディー教徒の奴隷は、総量の五分の一を戦利品としてIS当局に納めた後、戦闘員の間で分配された事実に愕然とした。

この本によれば、二〇一四年十一月以降、この女性奴隷相場や価格の統制をはかるために、四十～五十歳のキリスト教徒やヤジーディー教徒の売値は、イラク貨幣で五万ディーナ

ール、三十〜四十歳は七万五〇〇〇ディーナール、二十〜三十歳は一〇万ディーナール、十〜二十歳は一五万ディーナール、一〜九歳は二〇万ディーナールと定められた。子どもになればなるほど高価になるというのだ。ちなみに、この相場はＩＳの戦闘員たちの性的欲求への「実質的対応」を試みた結果らしい。これが、現代でもシャリーア（イスラーム法）に適合しているのか、していないのか、イスラーム教の信者や日本のイスラーム法学研究者には詳しく説明してほしいものだ。

　結婚もＩＳが構成員に提供する「福利厚生」の重要な項目になるらしい。イラクの部族の子女にＩＳの戦闘員との結婚を迫ったことも、ＩＳが現地で支持を失った理由らしい。そのうえで本書は、戦闘員の性的欲求を充足させるために、欧米社会やチュニジアで女性を勧誘して、男に娶せる「結婚ジハード」なども実践されている事実を紹介する。少女の性奴隷化といい、結婚ジハードといい、ＩＳはまことにおぞましい過激派である。その反面、「くのいち」さながらに敵の情報収集に当たる女性は、自由シリア軍の戦闘員を籠絡して、彼らや関係者を探知して粛清に従事する者も多い。

　食事も、欧米から移住してきた者の中には現地食になじめず、飲料としてレッドブルやコカコーラ、スプライトを好み、プリングルスやハーシーズなど欧米メーカーの菓子を食べる者もいるというが、これらは処罰や処刑の対象にならないのだろうか。酒やタバコも禁止とくれば、娯楽は何かということになる。本書の解説では、子ども向けのコーラン朗誦大会や、水辺へのピクニックでの水泳や釣り、乗馬を楽しむくらいが娯楽だろうと推定している。

ＩＳの歴史や教義、組織の行動様式や実態もきちんと整理しており、一般読者にとって頼りになる本である。

■『アラブからのメッセージ　私がＵＡＥから届けた「3・11」への支援』

ハムダなおこ（潮出版社）

文化交流に勤しむ日本人女性の善意とたくましさ

サウジアラビアとイランの国交断絶で中東と湾岸の情勢がにわかに急を告げている。そして、アラブ首長国連邦（ＵＡＥ）もイランから大使を召還してしまった。私は、そのＵＡＥとイランに出張する二〇一六年一月六日にこの原稿を書いている。こうした事態だからこそ、平和な湾岸地域で文化交流のために奮闘してきた日本人女性の善意とたくましさが、一服の清涼剤ともなる。

ＵＡＥのウンム・アル・クエイン出身の男性に見初められて結婚した著者は、東日本大震災に際会して募金活動に勤しむが、さまざまな困難に直面する。赤十字にあたる赤新月社は著者の労を快く思わず、電話で責任者に怒鳴りつけられる。日本は「大金持ちの国」だから義援金なんて必要ないという剣幕にも驚くが、日本人がイスラーム教徒でないから大事件に遭遇したといった種の誤解にも悲しい思いを抱く。着物ショーをチャリティとして活用しようとしても、チケットには課税され、場所探しも大変なのだ。

場所を無料で提供すると言いつついろいろとカネをせしめるホテル、地震被害を報道する代わりに日本文化紹介番組をタダでつくらせようとするテレビ局。一方で、なかなかに堂々とした偉丈夫がいるのもアラブなのだ。著者は、UAEでドバイの慈善団体「Mチャリティ」のイブラヒーム会長とめぐりあう。首長（UAE副大統領）直轄のMチャリティの会長は、著者の集めた金に何倍も援助金を付けて日本に送った。しかし、その援助金が具体的にどのように使われたのか、きちんとした証拠提出を要求する。さらには、送られてきた感謝状の宛先が「首長殿下」ではなく、「様」になっているのをどうするか……など。日本の天皇陛下に「様」で手紙を書くようなものだ。

日本大使館はアブダビにあり、ドバイには総領事館がある。この関係を理解しつつも、大使館がドバイの関係者にもっと親切にできないかと思案もする。さまざまに苦労はしても前向きに家族と一緒に湾岸で過ごす平和の日々を、今度の政治危機を乗り越えて続けてほしいと願わざるをえない。

■『幻の東京五輪・万博1940』

夫馬信一（原書房）

実現していたらと、想像力をかきたてられる

二〇二一年開催の東京オリンピックは、一九六四年の第一八回大会に続く二回目のオリンピックだが、東京にはもう一つ幻のオリンピックがあったことを知る若者は少ない。

一九四〇年（昭和十五）は、神武紀元二千六百年にあたり、その記念行事として、夏季オリンピックと万国博や札幌冬季オリンピックとの同時開催が承認されたというのだから、日本の国力や威信はたいしたものであった。しかし、子細に見れば、本当の底力ではなく、かなりムードと思い込みに左右された危険性も本書から浮かび上がる。実現しなかった分だけアラが目立つのは致し方がない。

それでも、夏のライヴァル候補地は、ローマ、バルセロナ、ヘルシンキ、ブダペスト、アレキサンドリア、ブエノスアイレス、リオデジャネイロ、ダブリン、トロントまたモントリオールという堂々の世界都市である。日本がよく欧州の地で孤軍奮闘したという感もある。

IOC会長アンリ・ド・バイエ＝ラトゥールを招いての接待攻勢もすごく、訪日を機に一気に親日家になったのも決定に大きく作用したようだ。

誘致に成功すると、聖火リレーのコースをどうするかといった迷走も直ちに始まった。なにしろ紀元二千六百年なのだから、天孫降臨の地、宮崎から東京まで一五〇〇キロの距離が至当というのだ。ギリシアから聖火を持ってくるにはどうするのか。海越えか中央アジア横断か、侃々諤々(かんかんがくがく)なのである。しまいには、アテネから送電を受けて東京で発火するハイテク案にいたるまで多彩なアイデアが飛び交った。いずれにせよ、宮崎と伊勢神宮を加えるコースが採用された可能性が高い。

国立新競技場問題と同じく、競技場建設地の選定も難航したらしい。ベルリン・オリンピックの巨大会場を見た東京大学建築学科の故岸田日出刀(ひでと)教授は、神宮外苑では狭いと考え、陸軍の代々木練兵場を代替地として推した。すると陸軍が反対し、結局招致決定から一年九か月の後に駒沢ゴルフ場と決まったのである。揉めたといっても、二〇二〇年の新会場設計変更のほうがまだ短時間で済んだと言えなくもないから、物事には万事比較も必要だと思えてくる。

それにしても、会場設計などに活躍した岸田の弟子の顔ぶれがすごい。前川國男、丹下健

三、入江雄太郎。これに東京タワーなど高層タワーの専門家内藤多仲なども加えると、日本建築学を担った最高水準の人物が東京オリンピックで最高作品をつくり上げるはずだった。

万博会場は東京湾埋立地につくられる予定だった。そのときに、会場へのゲートウェイとして勝鬨橋が雄姿を見せるはずだったのである。日本最初の双葉跳開橋と東京オリンピックとの組み合わせも、まさに話題をさらっていただろう。入場券やロゴなど各種のカラー写真が豊富であり、想像力をかきたててくれるのも楽しい限りである。

■『前へ、そして世界へ』

納谷廣美（創英社）

■『規制の虜　グループシンクが日本を滅ぼす』

黒川　清（講談社）

一流の組織経験者に学ぶグローバル思考

異なる分野で活躍する二人の自伝を交えたユニークな時論の書である。

私立大学のなかで、いまいちばん輝いている大学の一つは明治大学であろう。高校生や予備校生、親たちもよく見ているのだ。大学受験志願者数日本一をかちとった明治大学は、就職率の高さだけでなく、新学部の設置や国際発信へのこだわりでも日本社会で堅実な地歩を固めつつある。その牽引車にしてリーダーは、あくまでも謙虚ながら、持てる理想と抱負を新著で明らかにした。納谷廣美『前へ、そして世界へ』は、故北島忠治ラグビー部監督の標語「前へ」と、二十一世紀型教育と研究の中核となる「世界へ」を合わせたタイトルにふさわしい好著である。

国立大学だけで育った学者には、私立大学とくに理工系や医薬系の学部経営にどれほどの経費と労力を必要とするかを想像できない人も多い。そもそも経営という問題意識がないのだ。私学の雄、明治大学は理工学部や農学部といった伝統的な理系教育にこれまで貢献してきただけでない。二〇一三年に総合数理学部という数学を専門的軸としたユニークな学舎を創設した。また、文系学部の学生の授業が多いリバティタワーが、駿河台（するがだい）の通りを圧する威容を知らない人は少ないだろう。明治大学の変革と新世紀に向けた発展にいちばん貢献した人物こそ、法学者の納谷廣美氏なのである。

明治大学が東大や早慶と違う大学になるために、数学と物理との間に現象数理という新しい領域をつくって、「個を強くする大学」にしたのも氏の決断に負うところが大きい。とても民事訴訟法の専門家とは思えぬ理系的発想の大胆さ、学長任期八年をかけた総合大学経営の実績と社会からの信頼など、納谷氏は優秀な学者としてだけでなく、大学のリーダーとしてもまぶしい存在なのである。

氏の奥床しい人柄や学問への謙虚さは、ご両親への感謝と尊敬の念、明治と東大の恩師に対する学恩と敬愛の表現など、すべての面に貫かれている。私は、旭川で生まれ育った氏を慈(いつく)しんだご両親の写真二葉が巻頭に掲げられていることに感動した。なんという人間の素直さと大らかさであろうか。かといって氏は、いたずらに謙遜するだけの人ではない。

二期八年におよんだ学長の業績を踏まえた自己採点がある。氏は、就任時の状況を前提にすると百点満点以上の改革ができたと率直に語るのである。しかし、トップスクールになるとの夢を考えると、まだ道半ばであり、六〇点から七〇点ではないかと控えめに採点するのだ。とはいえ、学長として実現すべき課題の実現という観点からすれば八〇点だと、自己採点している。著者は、根拠なしに謙譲の美徳を発揮する人ではない。むしろ、〈謙虚な自信家〉なのである。大学という官庁や企業と異なる、むずかしい共同体を率いるには、どのような資質や人柄が必要なのかを教えてくれる良質な教育書でもある。

黒川清『規制の虜』は、二〇一一年三月十一日の東北地方太平洋沖地震後に国会に設置された事故調査委員会の長たる経験を踏まえた書物である。著者は、日本型組織の弊害や欠陥をあますところなく剔抉(てっけつ)している。黒川氏は、政治家や役人だけでなくジャーナリズムの責任も強く追及した。参考人の答弁を黒川委員長はどう考えるか、といった類の質問に辟易(へきえき)とする。氏は、ジャーナリストの本分は自分で精査し、個人としてどう考えるかを発表して問題提起することではないかと答える。参考人の言うことがおかしいと思うなら、記者なりメディアが感想を書けばよいと正論を吐くのである。

しかし、日本のマスコミは自分で責任をとりたくないので、黒川委員長はかくかくしかじか述べたと、言質(げんち)をとりたいと分析するのだ。こういう具合になったのも、日本が異論を言いにくい国であり、「グループシンク」の国だからだという。日本と世界との間に大きなギャップがあるのは、江戸時代から続く鎖国体質に由るところが大きい。その象徴が大学だというのは、手厳しいが当たっている。東大医学部を卒業しながらアメリカに出かけてカリフォルニア大学ロサンゼルス校の医学部教授になるが、黒川氏は、「家元」じみた慣習のもとで、東大に助教授として戻ることになる。定年を待たずに東大を去って、東海大学医学部長になり、また学術会議議長になる一方、普通の学者の行動範囲をはるかに超えた黒川氏の人間性と組織能力は非凡である。

氏は、人生の大きな岐路に立ったとき、人に意見を求めることはあっても、「どうすればいいでしょう」「どんな選択肢があるでしょうか」と答えを求めたことはなかったらしい。誰かに答えを聞いた瞬間、「考えない人」になってしまうからだ。何事によらず、自分で考えなければ問題は根本的に解決されず、また同じような問題で悩むことになるからだ。若い人びとには、「人に訊かない、自分で考える」という心意気を持ってほしいというメッセージを送っている。

氏の言うことはすべて肯綮に中っている。氏の人格と実力の素晴らしさは、本書にも滲み出ている。受験生をかかえる親、ひきこもりの子に苦しむ家族、大学院を出たものの就職先がなくて苦悩する若者たちは、本書を読むことで得るものがたくさんあるだろう。

納谷氏と黒川氏は、日本を代表する学者であり、教育者であるだけでなく、一流の組織経営者でもある。二人には、旭川と東京という違う風土に生まれ育ちながら、地域性を超えるスケールの大きさがある。それが二人の少年をグローバル思考に変える原動力になったのだろう。両書を比較しながら読むことで、〈大きな日本人〉を発見する喜びに浸れるのは幸福の極みである。

■『娼婦たちから見た戦場　イラク、ネパール、タイ、中国、韓国』
八木澤高明（KADOKAWA）

フセインの贈り物

「アメリカがイラクにもたらしたのは、民主主義ではなくポルノだ」

イラク人は、サッダーム・フセインの時代には、世界と簡単につながるインターネットを自由に使えなかった。それなのに、今時分の男たちはインターネットカフェでポルノ映画や画像を一心不乱に眺めることができる。戦場と性の問題を考える八木澤高明氏は、イラク、ネパール、タイ、中国、韓国の娼婦や色街を取材しながら、大らかさと暗さが同居する人類最古の職業に従事する女性たちの陰翳（いんえい）をまぢかに描いた。

フセインの贈り物という言葉がある。彼の統治下では、サウジアラビアはもとより他のアラブ諸国と比べても、売春にはまだ目こぼしがあった。そのせいでイラク戦争に従事した米兵たちはバグダードで娼婦を簡単に見つけることができたらしい。フセインの贈り物という所以（ゆえん）である。それにイラクには、アッシリア人と呼ばれる東方教会のキリスト教徒やジプシーもいたので、ムスリマ（女性イスラーム教徒）の禁欲性と対照的に、ナイトクラブで色を鬻ぐ女性もいたのである。

著者は、イラクでブルカを捨てホットパンツを穿いた女性たちを、敗戦直後の昭和二十二年にモンペを脱ぎ捨て洋服を着た日本のパンパンの像と重ねる。彼女たちは、今のイラクにも姿と形を変えながら存在するのだろう。ガジャルと呼ばれたジプシーやアッシリア人たちはフセインの時代には意外と迫害を受けず、ジプシーには良い大統領だったよ、と賞讃する娼婦さえいた。米軍は「独裁体制からの解放者」でなく、「生活を壊した賊」だったというジプシー娼婦の言い分にも、掬すべき点がある。

フセインの贈り物にもまして、中国河南省のエイズ村の話に驚く人は多いだろう。一九九〇年代に省政府が音頭をとって盛んに売血を奨励し、注射針の使いまわしや売血を輸血用に使うことでＨＩＶ感染者を三〇万人以上も出した土地柄である。中国全体では現在五〇万人のエイズ患者がいるというが、この数字は控え目にすぎるだろう。河南省から上海に出稼ぎに来た男たちが買った街娼は、床屋や野鶏と呼ばれる。二畳ほどの床屋を装って「ちょんの間」を営業するから床屋。野鶏は読んで字の如しであろう。吝嗇のあまりコンドームをつけないから、客の労働者を通してエイズ感染が猛威を振るうというのだ。辺鄙な土地にエイズ村を現出させたのは、経済活動とヒトの移動のせいである。これを大航海時代の梅毒の蔓延と比べる手法は見事である。フランスのアナール派歴史学のいう「細菌による世界史の統一」は、現在の日本人にも他所事ではないのだ。

いずれにしても、エイズ患者はもとより纏足の老婆をわざわざ探しに出かけるジャーナリスト魂はたいしたものだ。著者は、公安当局に証拠写真を押収され、身柄を拘束されてもあまり恐怖感をおぼえないようだ。財布の金を抜き取って返却したときの公安の言い草がふるっている。「エイズ患者の為に使います」と。

韓国での娼婦となると、歴史的に李朝が管理した「妓生」、自由に村々を回った遊女の「女社堂牌」、料理屋で春を売った私娼の「色酒家」に由来する。それが韓国併合で日本の公娼制度に組み込まれ変質してしまう。かつては「正三品平壌月桂」といった位階さえもつ妓生もおり、芸事も吉原の太夫と同じく達者だった伝統は絶えた。いまソウルの鍾路三街の私娼窟にいる「かるぼ」（南京虫の意）なる最下級の娼婦たちは、さしずめ「色酒家」の流れなのだろうか。むかし米軍兵士の相手をした清凉里の最下等娼婦は、吉原の零落した老女郎の「羅生河岸」に等しいと指摘するが、正しくは「羅生門河岸」と呼ぶべきだろう。東豆川という場所では、米軍兵士の姿は見当たらず、いまやネパール人などアジア人出稼ぎ労働者が主な客らしい。

著者は、いわゆる「従軍慰安婦」問題の胡乱（うろん）な側面もきちんと指摘する。韓国での取材と考証が重ねられ、まことに説得力に富む内容になっている。「戦場娼婦の社会史」と銘打ってもおかしくない作品である。

■『随行記　天皇皇后両陛下にお供して』

川島　裕（文藝春秋）

慣れるということの決してできない仕事

二〇一六年（平成二十八）八月八日の天皇陛下（現上皇陛下）の御言葉に感銘した国民は多い。

二十八年間にわたる御在位についての真摯な御言葉は、ほとんどの国民が実感を持って理解できるか、共感できるお気持ちの表明ではなかっただろうか。憲法に規定された象徴としてのお立場を忘れずに、人間天皇の心の内面を率直に語られた御言葉は、まさに歴史に残る「記録」になるだろう。

私は、日本国民として、二〇一一年（平成二十三）三月十六日の、東北地方太平洋沖地震直後にお出しになられたビデオメッセージに匹敵する感動と緊張をおぼえた。今回の御言葉は、日本史で初めて象徴天皇とは何かということを、常にお考えになられてきた天皇陛下の御思索の集大成としても理解すべきだからである。

その意味でも、天皇陛下に日夜仕えてきた前侍従長の川島裕氏による『随行記』は、まさに時宜を得た歴史的証言の書と言ってよい。川島氏の筆を通して浮かび上がる天皇・皇后（現上皇后）両陛下のお考えと御信念とは、次のようにまとめることもできよう。

第一に、憲法と平和主義への義務感と国際協調への責任感にほかならない。これは両陛下が一体となっておつくりになられてきた、象徴天皇のお仕事の基礎になっている。

第二に、国民各層に対する公平な御姿勢である。国民の総意としての国民統合の象徴たる天皇陛下は、誰に対しても公平であることを心掛けられてきた。政治家の基準に従って、重要な国だから大事にする、重要な人物だから特別扱いするといった区別をなさらない。

第三に、思いやりと慈しみのお心である。戦没者や犠牲者の慰霊と鎮魂や、東日本や熊本の震災犠牲者への御見舞と御慰藉は、身体障害者など「弱者」への思いやりとともに、天皇陛下を象徴たらしめる不可欠な要素である。天皇陛下は象徴としての天皇像を、時間をかけになってつくってこられたと言えよう。

第四に、神話や伝承の時代から二千七百年ほどの古い歴史を誇る、天皇家の威厳ともいうべきものである。他者に対する温かさと同時に、御自分への厳しい課題の設定は、長い皇統を受け継ぎ宮中祭祀を絶やさない皇室の長たる所以でもある。

川島氏によれば、天皇陛下が御見舞をされる場合、悲しみの「気」を御心の中に抱いたままに、その後の生活を続けておられるという。被災者の悲しみを、経験しなかった者が理解できるのかという畏れにも似た「控えた気持ち」が、常におありになるようだと述べる。「慣れるということの決して出来ない辛いお仕事を、それでも、そこに行って、その人たちの側にあることをご自分方の役割としてなさっているように拝察している」。

かつて天皇陛下は、「象徴とはどうあるべきかということはいつも私の念頭を離れず、その望ましい在り方を求めて今日に至っています」と述べられた。川島氏は、被災者へお心を寄せ続けられる御様子について、「象徴天皇制の定義付けという歴史の歯車が動いている」のを実感したと述べている。前侍従長ならではの味わい深い言というべきだろう。

■『問題は英国ではない、EUなのだ　21世紀の新・国家論』
エマニュエル・トッド著　堀　茂樹訳（文春新書）

■『難民問題　イスラム圏の動揺、EUの苦悩、日本の課題』
墓田（はかた）　桂（けい）（中公新書）

欧州の難民対策から学ぶべきこと

世界の人びとは、どことなくグローバリゼーションが底をついてきていると感じ始めた。トッドは新著『問題は英国ではない、EUなのだ』で、米国の大統領選挙を通して見ても、不平等の拡大、支配的な白人グループにおける死亡率の上昇、社会不安の一般化によって、ナショナルな方向への揺り戻しが始まったと述べる。英国のEU離脱は、欧州統合がグローバリゼーションという全世界的プロジェクトのもはや地方版に過ぎず、EUに留まる意義を見出せないことから生じた、と言っている。

というのも欧州は、米英に追随した経済的グローバリゼーションの上に、各国家の政治的廃止というイデオロギーの夢を重ねることで、グローバリゼーションの作用を悪化させたからである。

英仏と日本とドイツの出生率についても、常識的ではあるが、的確な比較を試みている。英仏は人口が増えもせず減りもしないバランスのとれた状態にある。高齢化している日本は、国民の同質性を重んじるあまり、人手不足の問題解決をテクノロジーに求めている。

これとは対照的にドイツは、大国にふさわしいパワーの追求を諦めず、信じがたいほど冒険主義的な労働力輸入政策に打って出ている。この意味で、ドイツが周辺地域のいたるところで国境と国家の意味をなくしているという指摘は興味深い。果たして、ウクライナや中東では、アメリカの「無力な軍隊装備」よりも、ドイツの経済パワーのほうが重きを成しつつあるというのだ。

いずれにせよ、統合欧州を理解するキーワードは、難民とイスラームかもしれない。二〇一五年一月のテロをめぐって起こった「私はシャルリ・エブド」のメッセージと運動は、差別されている弱者グループの宗教の預言者ムハンマドを冒瀆する、無自覚な差別主義の発露だと手厳しい。確かに、カトリックが社会の本流から消えたフランスでは、個人がますます超個人主義になってしまい、拠り所を失ったフランスの支配階級は、自己陶酔的な肯定の場を反イスラームに求めるきらいもある。憂慮されるのは、中産階級が、移民や若者といった下位の階級に利己的な態度を取っていることだ。

そもそもフランスは、もともと国内が無秩序であり、フランス人同士でも互いにいざこざは絶えない。トッドは、外国から異質な要素が入って来ても、失う「パーフェクトな状態」がないタフな社会だと定義する。

他方、トッドの日本観はかなり肯綮に中っている。日本は「非常に排外的で差別主義的」なわけではなく、「仲間同士で暮らしている状態が非常に幸せなので、その現状を守ろうとしているだけではないでしょうか」と。互いを慮り、迷惑をかけないようにするといった意味では、「完成されたパーフェクトな世界」ではないかと洞察するのだ。

この関連で言えば、難民は、フランスにせよ、日本にせよ、ドイツにせよ、まさに社会と国際関係の安定を望む社会にとって、すこぶる厄介な要因なのである。

難民を考えるときに有効なのは、「人口移動の流れ」という観点であろう。墓田桂『難民問題』は、貧しいエジプトでさえシリア難民の目的地であり、ＥＵへの経由地であり、より豊かなトルコも同様だと指摘する。とりあえず難民が流入する近隣諸国の負担はもっと大変である。人口比であれば、レバノンの人口一〇〇〇人当たりの難民数は一八三人であり、世界最多の難民吸収率である。しかも、そこにはパレスチナ難民が入っていない。次位はヨルダンであり、八七人である。レバノン人口の五分の一をシリア難民が占めているという指摘はわかりやすく、痛切な響きを帯びている。

リビアが混乱の始まる二〇一一年以前から、エリトリア人など人口移動の集約地であり、欧州への出航地だった事実はあまり知られていない。一一年の時点で、リビアにいた非正規移動者の数は一〇〇万人から二〇〇万人と見積もられていた。リビアの全人口が六四六万人にすぎなかった時期でさえ、人口過剰だったのである。トルコなど中東の難民政策を批判する国連やEUの姿勢には、虚偽とは言わずとも偽善を感じざるを得ない。この点は、トッドの見方と墓田氏の見解には共通する面もある。

ところで、日本は難民の受け入れに閉鎖的であり、世論も消極的だと言われることも多い。二〇一五年に法務省が難民として認定した数は二七人にすぎないことを見れば、確かに消極的だと言えるだろう。しかし、就労目的の難民申請も多く、偽装申請もかなり多い。帰国が迫った技能実習生も、たとえ偽装であっても難民申請をすれば在留延長が認められるケースが多い。いきおい、難民申請者が難民性の低い人で占められるために、公表される難民認定率も低くなったのは当然だというのである。結局、難民認定制度が事実上の移民制度となっており、比較的安全なアジアの国の出身者が多いのが日本の特徴なのだ。

二〇一五年に難民支援策を表明した安倍晋三首相であっても、シリア難民の受け入れを認めなかった。これについては、国連に勤務した緒方貞子氏が「リスクなしに良いことなんてできませんよ」と批判的であった。墓田氏は、安全とリスクの管理は政治家の責務であり、やみくもに積極的な国際協力を行えばよいというものではないと慎重である。そして、緒方氏の「軽率な発言」と比較して、安倍首相の「慎重姿勢」にもそれなりの理由があったと同情するのである。

結局、「人道大国」になれない日本の限界を怜悧に考察した本書は、あまり日本人の耳朶に心地よく響く内容ではない。しかし、北朝鮮や中国からの難民が大挙して到来する事態を公海や領海でいかに阻止するのか、あるいは受け入れるのか。墓田氏のリアリズムには学ぶべき点が多い。

■『チュニジア革命と民主化　人類学的プロセス・ドキュメンテーションの試み』

鷹木恵子（明石書店）

アラブの良心と清涼剤ともいうべき理性的市民の生きた声

チュニジアは「アラブの春」の始まった地であり、成功した市民参加型革命を歴史に刻んだ国でもある。リーダーなき国で壮大な社会開発プロジェクトとも言える試みが成功したのだ。その原因を、丹念な現地取材と徹底した文献調査で探究した書物である。シリアやリビアのような混迷を深めるだけでなく、凄惨極まりない状況を生んだ国々と違って、チュニジアは何故に民主的移行や国民対話に成功したのだろうか。

著者は、この理由をプロセス・ドキュメンテーションと呼ばれる時系列と構造分析の多元的な手法を駆使して説明する。

理由の第一は、旧政権が崩壊しても国家が解体せず、国家の枠組が残ったことである。独裁者ベン・アリー大統領の逃亡に次いで、代行や臨時大統領が憲法に従って就任し、やがて新憲法を制定する議会選挙や新大統領選挙を実施する市民の粘り強さと堅実さに恵まれていたことが幸いした。

第二は、革命後の民主化移行過程での軍事力や武力行使が少なく、政府レベルでは議論や協議が中心になったことだ。エジプトと異なり、政府レベルでは暴力や軍事力の行使をしないという暗黙の了解があった点も無視できない。

第三は、革命期も民主化移行過程においても、市民の理性的な活動や広汎（こうはん）な関与がすこぶる活発だったことである。なかでも、比例代表制の選挙立候補者名簿を男女交互拘束名簿制として議員の男女平等化をはかるなど、欧米と比べても先進的な試みが導入された。「私の身体は私のもの」と主張してイスラーム法の導入に反対した女性たちの勇気には感動する。著者は、女性への暴力横行に対して、抗議や被害者救済や支援に当たったのも女性だと強調する。

シリアやリビアやイエメンの悲劇を見て絶望に襲われる日本人にも、アラブの良心と清涼剤ともいうべきチュニジア市民の生きた声が確実に聞こえてくる。文章もわかりやすく、特別な予備知識がなくても、一気に通読できる労作である。

■『外国人レスラー最強列伝』

門馬（もんま）忠雄（文春新書）

外国人レスラーから見た日本人論

プロレスと聞くと、不思議な興奮の混じったノスタルジアを感じてしまう。なにしろ、娯楽の少ない時代にテレビが市民の家庭に入って来ると、あっというまに子どもの心をとらえてしまったからだ。力道山とルー・テーズはどちらが強かったのだろうか。子どもたちは喧々囂々（けんけんごうごう）の議論を繰り広げた。これは永遠のテーマである。

五十年間もプロレス取材をしてきた著者は、一三人のレスラーを取り上げて、技巧、人格、反則ぶりなど、さまざまな角度から戦後日本プロレスの実像に迫っている。

テーズこそ「プロレスの神様」だったという見方に同意する人は多い。あわせて、テーズは日本流に言えば宮本武蔵の如き求道者であり、人格的にも屈指のレスラーだったというのだ。軍隊でもプロレスを教えて「武器をもたぬ格闘術」を兵士にたたきこんでいたというから凄いではないか。現役時代の職業を尊重する米軍の懐の深さである。著者は、これがアメリカの国力なんだ、と感嘆するが、その通りであろう。

テーズは力道山とジャイアント馬場を深く愛していた。力道山の死に接すると、リング上で弔意を表し、静寂のなかで目頭を拭った。馬場が死ぬと、プロモーターとしての馬場が優秀で契約金を必ず払う誠実な人物だったと回顧している。「これはこの業界ではとても大切なことで尊敬に値する」と。二人とも互いをもっとも尊敬していたというのは誇張ではない。

その馬場が「真面目で誠実、ブラジル以上のプロレスラーはいなかった」と語るのは、ボボ・ブラジルである。馬場の連勝記録を破ったブラジルは、試合前に贈呈された花束から花びらを食いちぎり、大木金太郎の頭突きにココバットで対戦したヒール（悪役）のイメージが強い。リッキー・ワルドーが音を上げた大木のアトミック・ボムズ・ヘッドは、朝鮮でいう「平壌頭突き」から学んだものらしい。大木の石頭に対抗できたのはブラジルくらいだったのではないか。

黒人レスラーの地位を向上させ、引退後はチャリティ活動に勤しみ、誰からも愛された。地元の目抜き通りは「ボボ・ブラジル・ストリート」と改名されたほどだ。ブラジルはじめアブドーラ・ザ・ブッチャーら黒人レスラーが日本で存分に暴れることができ、人気もあったのは、日本には人種差別という障害がなかったからだという指摘は、まことに感動的である。アメリカよりも日本のリングは、黒人選手にとって安心できる職場だったのだ。

ブッチャー、彼と悪党コンビを組んだ〝インドの狂虎〟タイガー・ジェット・シン、アサッシンA・アサッシンBのコンビなど、著者にはまだまだ取り上げてほしいレスラーたちがいる。外国人レスラーを通した日本人論としても次回作を期待したい。

■『岡部いさく&能勢伸之のヨリヌキ「週刊安全保障」』

岡部いさく監修　モデルグラフィックス編集部編（大日本絵画）

女性タレントの真っ当な問いが引き出すわかりやすい説明

フジテレビが「安全保障」について週ごとにインターネット配信していることはあまり知られていない。その番組アンカーとゲストの軍事評論家の対談のエキスを編集した本である。そこに軍事を知らなかった女性マルチタレント小山ひかるさんが絡むのだから、安全保障論がこれほど身近に感じられる機会もない。

たとえば、M1A2SEPV2なる戦車について、車体が旋回しても砲塔がピタッと動かず車体だけ回るとアンカーが説明すると、タレントは「すごい。なんで？」と素朴に反応する。するとアンカーは、いまの戦車はこういうことができるのが多いんです、とやや冷淡に返す。タレントは、普通だったら大砲が動きそうと素直に反応する。「大砲は実際動きますよ」とゲストの答えはニベもない。これを引き取ってアンカーが懇切に説明しながら、番組も本の流れも進行していくといった塩梅（あんばい）だ。

話題は、防衛大学校卒業式にも及ぶ。アンカーやゲストが名物の帽子投げに触れると、タレントはアメリカの高校生も投げてますと返す。ゲストはすかさず事務的に「ああ、そう」とうなずくだけ。彼女が「ゲンちゃんが映っている！」と素っ頓狂な声を出すと、「中谷元防衛大臣ね」とゲストはやんわりたしなめる。

タレントは、防衛大を卒業して任官しないのが不思議でならないらしい。民間企業に行く人もいるというと、「じゃあなんで、行ったんですかね」と至極真っ当な問いを出す。こうなるとアンカーやゲスト、どう答えるべきかややたじたじとなる。私なら、民主主義国家の教育は適性に応じた多様性を許すものであり、在学中に成人を迎えるなかで考え方や生き方が変わることもある、と真面目に答えるかもしれない。しかし、アンカーは給料がいい仕事の話が来たからかもしれない、とユーモアに富む話をする。

真面目な雰囲気を保ちながら難解な安全保障や兵器体系について、図入りでわかりやすく説明してくれる好著である。

■『プーチンの世界　「皇帝」になった工作員』

フィオナ・ヒル、クリフォード・G・ガディ著　濱野大道、千葉敏生訳（新潮社）

優れた歴史家プーチンを知る教科書

二〇一六年十二月に日本を訪問したプーチン露大統領の意図は奈辺（なへん）にあったのか。その評価は人によって相当に分かれるに違いない。確かなことは、プーチンが日本との関係を壊すことなく、有利に関係強化を図ろうとした点である。プーチンは、ユーラシア中心の世界を俯瞰しつつ、世界の政治家のなかでも屈指の戦略的な思考に従って行動しているのだ。

他方、日露首脳会談後の会見で「過去にとらわれることなく」「未来志向の発想が必要だ」と述べた安倍首相も、いろいろ批判にさらされつつ、戦略的な地球儀俯瞰外交を進めている。山口県長門市と東京での会談は、双方の戦略的感覚をそれなりに示していたと言えよう。

さて、本書はプーチンという複雑な多面性をもつ人物に関して、六つのペルソナから論じている。それは、国家主義者、歴史家、サバイバリスト、アウトサイダー、自由経済主義者、ケース・オフィサー（工作員）にほかならない。これらは、二〇〇〇年代の大半に、政治家としてロシアで絶大な権力を誇示してきたプーチンが、単純なパフォーマンスを演出したわけではないことを示している。

最初の三つは、プーチンのロシア国家観、政治哲学、第一期目の大統領時代の考えの土台になった。一九九九年に大統領代行に就任したプーチンは、「ミレニアム・メッセージ」とも呼ぶべきソ連解体後のロシアの経験と教訓を公にした。その十数年後、彼は、一九九〇年代のエリツィン時代のカオスを、自分の二〇〇〇年代と比べながら、ロシアの政治や経済の安定への貢献を自慢したものだ。

アウトサイダー以下の三つのペルソナは、より個人的なものである。KGBのケース・オフィサーとしての経験は、彼が故郷のサンクトペテルブルクの行政に関わり、クレムリンの地味な職務から身を興していく過程で、大いに役に立った。

なかでも特異なのは、自分の運命がロシア国家の過去や定めと密接に結びついているという信念である。プーチンは、歴史認識を使って政治的な立場を強化し、重要な出来事の骨格を描いてきた。歴史は、彼自身や国家の目標を実現するための一助になるだけでなく、正当性という名のマントで自分とロシア国家を覆い隠す手段にもなる。この点で言えば、とくに対日関係で歴史のカードを始終切りたがる中国や韓国の首脳と共通しているかにも見える。

しかし、大きな違いが一つある。それは、プーチンの教養と知識の広がりと深さが比べものにならないことだ。政策で「好都合な歴史」を操作すれば、政策を推し進める手段として有益なことまでは、彼らの全員がある程度知っている。違いは、歴史は問題を解決すべきだとしても、良くも悪くも、それは自分の生きている時代で解決すべき点を知っているか否かということだ。

レーニンの遺体を赤の広場から撤去してはと英国人ジャーナリストが質問したときに、彼は間髪容れずに英国の議事堂の外には十七世紀の清教徒革命の指導者クロムウェルの像が今でも建っていると指摘したものだ。プーチンが主張したかったのは、善悪も含めてクロムウェルのすべてが英国の遺産であるように、恐ろしい行為をしたレーニンやスターリンもロシアの国家と国民が共有する歴史の一部だということだろう。

誰もが歴史とどこかで折り合いをつけなければならず、恥じることは何もない。こうした歴史観は、イデオロギーや党派性から自由な国民であれば格別に不思議なことはないだろう。まさに、映画監督のニキータ・ミハルコフが言うように、ロシア史のどの期間を見ても輝かしいページと暗黒のページがあるのだ。それらを分割していずれか一方を否定し、いずれか一方を肯定することはできないという指摘は、プーチンの考えに通じるものがある。

　プーチンが評価するのは、革命に頼らずして大変革を成し遂げようとしたストルイピンである。一九〇六～一一年に活躍した彼は、プーチン同様に変幻自在の国家主義者だからであろう。ストルイピンは、帝政期に一般選挙の結果に依拠した議会を仕切った最初の首相であった。彼は自由主義施策と強い国家を同時に追い求めた点でプーチンの偶像なのであり、「ドストロイカ」（建設の完成や計画の完了）の先駆者なのかもしれない。一九〇九年にストルイピンは外国人記者の質問にこう答えた。「国家に二十年間の国内および国外の平和を与えてくれれば、ロシアは見違える姿に変わるだろう」。

　そして、それから約一世紀後、二〇一一～一二年にかけてプーチンは次のように示唆した。「私に二十年間を与えてくれれば、ロシアは見違える姿に変わるだろう」。

　プーチンは当面する問題に立ち向かう際に、歴史から類似例や模範例を引き出してくる天才である。その意味で、著者たちが彼を「歴史と特別な関係を持つ歴史家」だと言うのは正しい。来日したプーチンが日露関係史に関する蘊蓄（うんちく）を披露したのは、付け焼刃でもなく、ましてや偶然ではなかったのである。

■『アルカイダから古文書を守った図書館員』

ジョシュア・ハマー著　梶山あゆみ訳（紀伊國屋書店）

敬虔なイスラーム知識人の勇気

トンブクトゥという西アフリカの都市がある。現在はマリ共和国に属するが、サヘルと呼ばれる大西洋から紅海に至るサハラ砂漠南縁に位置する。そこはアフリカ・イスラーム世界の宗教文化の中心地でもあった。

本書は、十二世紀以来の金箔をほどこしたコーランやイスラーム法学の研究書など、トンブクトゥの文化遺産を守った敬虔なイスラーム知識人の努力の物語である。

先祖代々エジプトやスーダンから持ち帰ってきた貴重な古文書を保管していたアブデル・カデル・ハイダラは、どれほどの値段がつくかわからない古史料を集め続けていた。隣国との国境に近い村に貴重な古文書があると聞けば四週間も費やした労苦の結果、一万ドル相当の膨大な食料と織物を代償に引き取った。ハイダラにあるのは、先祖代々の家学への責任感と知識の探求心に他ならない。

彼のおかげでトンブクトゥは陰鬱な僻地ではなく、ユネスコはもとより研究者や外交官、さらには観光客まで誘致するイスラーム文化の拠点になった。だが、この土地に武装したイスラーム過激派が進出してきた。なにしろ、アルジェリアのために働いていた日本人たちを平気で殺したテロリストたちである。マリやサヘルの歴史遺産を破壊焼却するくらいは平気なのだ。

ハイダラは古史料を安全な首都バマコに移すために必死の覚悟で働く。苦心惨憺(さんたん)、アルカイダはじめ、マリ軍の検問やフランス軍の攻撃から数十万点の古文書を守りきった。精緻なデジタルカタログをつくり、ぼろぼろの紙を奥深い遺産に仕立てあげた。カビのついた本を絶滅から保護したのだから、間違いなく世界でも有数の文化功労者である。

いまではバマコのビルの高層階に除湿装置のある保管所を造って保存されているので、文書の先行きにはさほどの心配はない。とにかくスリルに富むのは、トンブクトゥから一〇〇〇キロ離れたバマコまで、テロリストの目をかいくぐって運んだ勇気と冒険の数々である。日本人にはなじみの少ないサハラ以南のイスラームの歴史と現在を知るうえでも格好の良書である。

巻頭のアラビア語写本とトンブクトゥの街並みの美しさに魅入られる人も多いだろう。

■『グローバル・ジハードのパラダイム　パリを襲ったテロの起源』

ジル・ケペル、アントワーヌ・ジャルダン著　義江(よしえ)真木子訳（新評論）

フランス人のイスラーム専門家による「聖戦」の実態

二〇一五年はパリの「シャルリー・エブド」誌編集部が襲われ、サン・ドニのサッカー場で自爆事件が起きるなど、フランスにジハーディズムが根を下ろした年でもある。著者たちは、現代イスラームと投票行動の専門家として、大都市郊外の低所得者団地で移民系住民が増え続けるシテと呼ばれる地区に注目する。IS（イスラーム国）は、このシテを中東のジハード（聖戦）と結びつけて、欧州でのテロを誘発させたというのだ。

ISは、フランスの住民を出自に関わらず無差別に標的とする「祝福された襲撃」を繰返した。ISは、移民系の住民を犠牲にしようともお構いなしであり、欧州の「柔らかい脇腹」の西欧で「万人の万人に対する戦争」を引き起こして、内戦を誘発して「カリフ制国家」を樹立しようとしている。

ただし、この若いテロリストらは教育を受けておらず、知的水準はあまりにも低い。彼らは、欧米のイスラーム嫌いから生まれた犠牲者のムスリムを、ジハーディストとして獲得できるという幻想に浸っている。

こうした若者が生まれたのは、ポストコロニアル時代の移民子弟としてフランスで生まれた世代が、社会や制度との暴力的な衝突を辞さなかったからだ。その挙句に、移民子弟の若者といえば暴力の常習者と見なされる悪循環が始まった。彼らが選挙権を持った当初は、二〇一二年のオランド大統領当選のように、サルコジへの反発が強かった。いまでは、同性愛禁止やスカーフ着用などを目指すムスリムは、世俗主義のオランドたちにも寛容でなくなった。

このムスリムの若者は、社会的帰属意識からすれば左派に近いが、民族・宗教上の主張に従えば右派に接近するという屈折した構図を持ち、フランス政治ではジレンマの状態にある。そのギャップを暴力的に埋めようという動機こそ、フランスにグローバル・ジハードを生み出したとも言えよう。現代のジハーディズムにおける宗教とイデオロギーと暴力、それに戦争との接点をさぐる好著である。

■『英語で発信！　ＪＡＰＡＮガイドブック』

神田外語大学日本研究所編（ぺりかん社）

「節分」や「七五三」を外国人にどう説明する？

これからはパスポートと一緒に本書を携える留学生や観光客が増えるだろう。海外に行くと私たちも訪問先の国の歴史や文化と同様、日本を改めて見直す機会も多い。とくに外国人から日本の芸術や経済について訊かれると、どう説明すればいいのか頭を悩ます人もいるはずだ。「雅楽」や「国学」や「やまと絵」をすんなり説明できるなら、相当に日本史の基礎知識が頭に入っている人だ。しかし英語で説明するのは別物だろう。本書の有難さはそれらをわかりやすく一五行くらいの日本語と英語で教えてくれる点にある。

日本の自然、日本人の心と宗教心、クールジャパンの系譜などは、いかに説明されるのだろうか。たとえば、年中行事でも「節分」や「七五三」は説明がむずかしい。節分とはもともと季節が分かれる節目の日という意味で、一年に四回あったと外国人に説明できる人は少ないだろう。また、花見とは奈良時代からあり、元来は梅が中心だったことも知らない人がいる。七五三とは、子どもの健やかな成長を願い、三歳七歳の女子、三歳五歳の男子が神社にお参りする行事であるが、英語ではなるほどこう説明するのかと頷いてしまう。

「AKB48」について、「彼女たちとは、秋葉原の小さな劇場で毎日会えます」と重要な情報をまず提供し、普通の女の子たちが披露する踊りと歌から「努力は必ず報われる」という真面目な定義も示される。

何となく知っていた「ヤンキー」の意味をこの本で知ったのは私だけではあるまい。「学校生活や社会に馴染むことのできない若者たちが、逸脱した行動をし、社会に対して抵抗する文化が『ヤンキー』です」。ヤンキーの精神は「日本文化の底流を流れています」とはなかなかに大胆な知見でもある。

私などは、「出島」や「切支丹」など日本史の専門語の英語ガイドにすこぶる関心をそそられた。書評だけでなく推薦のしがいもある基本図書である。「一家に一冊JAPANガイドブック!」。

■『危機に立つ東大　入試制度改革をめぐる葛藤と迷走』

石井洋二郎（ちくま新書）

秋入学、英語民間試験などの問題を「現場」から危惧する

旧制高校気分を漂わせていた時分、一部の大学生は、〝意識の高いヤツ〟という言葉をよく使ったものだ。単純な頭の良し悪しだけでない。物事の説明能力が高く信念や抱負も並でない学生は、〝意識が高い〟と畏敬されたのだ。

この本の著者は、典型的に〝意識の高いヤツ〟なのである。東大の秋入学の実現がすぐに国際化に役立つという思い込みに根拠がなく、英語民間試験にひそむ危険な罠などを明解に説明していく論理の展開や説得力は、まるで歌舞伎の千両役者の見得が決まったような快感を覚える。他方、論破された結果だろうが九月入学論が消え去ると、東大の国際化路線を頓挫させたのは駒場の教養学部だという「いわれのない批判」を受けたそうだ。

総長の意志が一学部の抵抗で挫折するなどは、企業人的なガバナンス感覚からすればとんでもないという議論が普通だろう。しかし、著者は企業と大学の違いを強調し、執行部が

「現場の感覚」を尊重しなければ教育改革は成功しないと言いたげだ。おそらく東大でも駒場以外では「現場」という言葉を聞かないはずだ。十八歳くらいの未成年が大挙して入学して、言葉遣いも社会常識も未熟な若者の輝きを伸ばす機会も、九月入学への移行で消えてしまうのではないか。

著者の危惧に共感を覚えるのは、私も三十年ほど「現場」で過ごしたからだ。駒場は、外国政府の寄付講座を東大で初めて受け入れ、留学生の一部授業の英語化を実現した学部であり、国際化に後ろ向きではない。二月にモロッコで会ったフランス人たちは駒場の一現場教員が編纂した『中世フランス語辞典』の高い業績を激賞していた。人文系学問が東大でも生き延びるには、もっと英語をはじめ外国語で論文と書物を著し、理系と同じく業績評価が外にもわかるようにすることだ。「文系学部廃止論」をはねかえすには、教員が業績で〝意識の高いヤツ〟になるのも必要条件だが、この視点は今回の本の目的ではないのだろう。著者の議論の続きを期待させる新書である。

■『グローバル時代のアメリカ　冷戦時代から21世紀』

古矢　旬（ふるや　じゅん）（岩波新書）

二人のアウトサイダー大統領の共通点は「反ヒラリー」

二十一世紀のアメリカは、二人のアウトサイダーを大統領に選んだ。一人は弁舌と知性にたけたアフリカ系弁護士のオバマ。もう一人は公職経験皆無の不動産業者トランプである。トランプは「赤裸々な権勢欲以外に、確たる具体的な政治的ビジョンがあった」わけでもないのに、「有名人」になる夢を叶えた実業家である。その反知性と反教養は際立っているが、共和党主流だけでなく普通の保守政治家の規範からも外れたアウトサイダーなのだ。一方オバマは、連邦上院唯一のアフリカ系議員としてエリートのアウトサイダーであった。

著者によれば、二人には意外な共通点がある。それは反ヒラリー・クリントンである。ヒラリーはウォール街の大口政治資金に依存していたのに、オバマはネットの小口献金者の善意に依拠していた。トランプは潤沢な個人資金を使って当選したのである。ヒラリーの夫ビルは保守とニュー・デモクラットの超党派的合作を進め、レーガンからの保守的コンセンサスを息子ブッシュに継承させる役割を果たした。オバマが「変化」、トランプが「アメリカ・ファースト」を言うのに、ヒラリーは「経験」と「安定」を売り込んだにすぎない。これでは職と収入を欲する没落白人労働者層を満足させられるはずもなかった。

トランプの公約は、国境の防備、反グローバル化、アメリカ第一主義の三点に尽きる。何よりも凄いのは、人種差別や経済的不満を支持層に向かって煽ることで対立候補を蹴落とす手法が成功してきたことだ。しかし著者に言わせると、トランプの勝因は、格差社会の深刻化を長く放置してきた、ワシントン政治のエリート主義への大衆の不満と怒りの噴出にあったという。ケネディの演説には民主主義の主体の存在が念頭にあったのに、トランプには国の公助だけを期待する「忘れ去られた客体」が存在するだけだとは至言であろう。アメリカ政治の信頼できる導きの書が出たのは嬉しい。

■『フジテレビプロデューサー血風録　楽しいだけでもテレビじゃない』

太田英昭（幻冬舎）

怒号も浴びせる「知性を隠したTVマン」が築いた全盛期

毎週フジテレビで楽しい番組といえば、「VS嵐」と「サザエさん」、BSフジでは「鬼平犯科帳」だった。「VS嵐」が消えた後のフジテレビはどこへ行くのか。著者はフジの全盛期を築いた功労者の一人である。「なんてったって好奇心」こそテレビメディアの神髄であることがよくわかる本だ。企画や情報共有の会議のすさまじい熱気が随所から伝わってくる。定員二〇人の会議室に四〇人ほどを招集し廊下までスチール椅子を並べて議論する。チームの内輪でも「険悪な雰囲気」が漂う迫力は、TVマンの独特な個性なのだろう。

三浦和義氏ロス疑惑事件でロンドンの宿に張り込む姿から、ドキュメンタリー番組「ザ・ノンフィクション」、朝の「とくダネ！」、BSフジの「プライムニュース」などの企画・製作に至るまで、著者は多くの新番組の立ち上げをリードした。とにかく、著者は酒や議論とともに、教養と読書の人でもある。知性を隠したTVマンが時に叱咤激励の怒号を浴びせて番組をつくるのだから、作品は面白くないはずがない。新人起用やベテラン開花に見せる才能も半端ではない。全盛期のキャスターや女子アナウンサーの横顔、個性あふれるトップの存在感、編成畑の地味ながら卓越した人材の描写を通したポスト冷戦回顧録としても面白い。

ヤラセやデータ粉飾や不規則発言は、本社とプロダクションの意志断絶の谷間で起きることが多い。問題が起こると出向いて謝る上層部は、とにかく誠実でなければならない。テレビ界の基盤を堅実に支えるのは人間関係の信頼と誠実さである。同じ場所で「はしご謝罪」を何時間もする。そのうちに先方が、「偉い人をよこして、こうして真面目に謝っているんだから」この辺で勘弁しておやりと言うまで頭を下げ続ける。覆水盆に返らずのテレビ発言の怖さだ。フジ持株会社の社長や新聞社の会長を経ていまは英字発信に勤しむ著者は「国益」を大事にする。その華を開花させずに放送界を去った著者を惜しむ声が、登場人物たちから聞こえてきそうな本でもある。

■『ハイブリッド戦争　ロシアの新しい国家戦略』

廣瀬陽子（講談社現代新書）

宇宙・サイバーを通した挑発や衝突は稀な現象ではない

東京五輪パラリンピックがコロナ問題で延期されたとき、関係各所にサイバー攻撃が仕掛けられた事件が起こったが、あまり注目されなかった。英国外務省によれば、ロシア連邦軍参謀本部情報総局（ＧＲＵ）の仕業とされる。ドーピング問題でロシアの参加が拒否されたことへの報復だったようだ。日本はそれに気づかず、日本人は何も知らなかった。衝撃を受けたのは、一部の政治通だけであった。

これはハイブリッド戦争の脅威を予知させる事件にほかならない。日本人は軍事という観念をあまりにも狭くとらえがちな国民である。古典的な陸海空の戦争空間ではなく、宇宙・サイバーを通した挑発や衝突は稀な現象ではない。こうした日常性と非日常性の交叉（こうさ）について、専門家の立場から警告を発しているのが本書なのである。

目まぐるしく変わる軍事衝突の様式と安全保障の新たなリスクを象徴するのは、まさにハイブリッド戦争である。かつて自領やナゴルノ・カラバフ自治州をアルメニアに占領され、回復できなかったアゼルバイジャンは、兄弟国トルコのドローン兵器を導入してアルメニア軍の戦車をたやすく撃破し、占領地の多くを奪還した。これに付随して情報戦やサイバー攻撃も同時並行的に進んだ。他方、ロシアはアゼルバイジャンに「停戦監視団」の名目で兵員を五年間駐屯させることに成功した。両国は、ハイブリッド戦争の意味を理解して軍事と政治の領域でそれぞれ勝利を収め、アルメニアは新たな状況に対応できずに敗北を喫した。こうして戦い方が変わったことを廣瀬氏は強調する。

ロシアにしても何も火種がない所に戦争を起こせるわけではない。国内外に何か火種があるときに、それを口実に力を発揮するのがロシアなのだ。効果的方法こそハイブリッド戦争である。本書は、それにロシア外交の巧妙な技や罠が地政学的にからむことを理論と実証の両面から描いている。モスクワ・テヘラン枢軸、モスクワ・東京枢軸という言葉を見るだけでも、本書のスケール感が想像できるというものだ。

■『コーカサスの紛争　ゆれ動く国家と民族』

富樫耕介（東洋書店新社）

プーチン・ロシアは何故執拗にシリアに関与するのか？

アサド政権はシリア内戦で当初不利だった。いまや内戦前の勢力を回復したのは、ロシアとイランのなりふり構わぬ支援のおかげである。イランがシーア派国際革命の一環としてシリア・レバノンに進出するのはわかる。それでは、ロシアがシリアに過剰関与するのは何故なのか。それを解くカギは富樫氏が本書で説くコーカサス各地の紛争にある。シリアにはチェチェン人をはじめコーカサス出身のイスラーム武装闘争派が多い。

ロシア政府は、二回のチェチェン戦争に手こずった。プーチン大統領のチェチェン対策は単純である。どの場所でも、どれほど民間人がまきこまれようとも、テロリストと決めつけた集団、たとえばコーカサス首長国などとは一切妥協しないことだ。他方、「首長国」もロシア市民に無差別にテロ攻撃をかけていた。また、コーカサスのテロ組織はアルカイダやタリバンに共感したが、それは援助を獲得するためだ。しかし、シリア内戦とイスラーム国

（ＩＳ）が出現すると、「首長国」はシリア内戦に兵士として参戦することが求められた。この結果、ＩＳに忠誠を誓う者も現れ、「首長国」は分解してしまう。これはプーチンには思う壺であった。

他方、二〇二〇年十一月にほぼ決着のついたナゴルノ・カラバフ紛争も最新のデータで分析されている。アルメニアとアゼルバイジャンの領土紛争が事実上の戦争に発展したカラバフ問題は、結局アゼルバイジャンがトルコから購入したドローン兵器によるアルメニア戦車の破砕で「解決」された。ただ、アゼルバイジャンが回復した被占領地やその周辺から出たアルメニア人難民の解決は、中東同様に新しい紛争を引き起こすだろう。

またロシア軍が平和維持部隊としてコーカサス南部に常駐するのは、新たな安全保障の脅威になるのではないか。あまり知られていないコーカサスの民族と国家について、解決の展望を含めて広い視野から明快な文章で説明した労作である。

『「イスラーム国」の生態がわかる45のキーワード』東京人2015年10月号
『アラブからのメッセージ』月刊潮2016年３月号
『幻の東京五輪・万博1940』東京人2016年４月号
『前へ、そして世界へ』『規制の虜』東京人2016年６月号
『娼婦たちから見た戦場』本の旅人2016年８月号
『随行記』東京人2016年10月号
『問題は英国ではない、ＥＵなのだ』『難民問題』東京人2016年12月号
『チュニジア革命と民主化』週刊ポスト2016年10月28日号
『外国人レスラー最強列伝』東京人2017年１月号
『岡部いさく＆能勢伸之のヨリヌキ「週刊安全保障」』週刊ポスト2016年12月16日号
『プーチンの世界』東京人2017年３月号
『アルカイダから古文書を守った図書館員』日本経済新聞2017年７月22日
『グローバル・ジハードのパラダイム』週刊ポスト2017年10月27日号
『英語で発信！　JAPAN ガイドブック』週刊ポスト2018年６月29日号
『危機に立つ東大』週刊ポスト2020年２月14日号
『グローバル時代のアメリカ』週刊ポスト2020年10月16／23日号
『フジテレビプロデューサー血風録』週刊ポスト2021年４月16／23日号
『ハイブリッド戦争』週刊ポスト2021年９月10日号
『コーカサスの紛争』週刊ポスト2021年10月29日号

第四章　近年の歴史学の成果

『江戸城下町における「水」支配』産経新聞2020年５月25日
『儒学殺人事件』産経新聞2019年７月29日
『将軍と側近』『吉田松陰とその家族』東京人2015年３月号
『大正政変』週刊ポスト2015年４月10日号
『花の忠臣蔵』週刊ポスト2016年２月12日号
『六国史』週刊ポスト2016年４月８日号
『徳川家康』週刊ポスト2017年４月28日号
『観応の擾乱』週刊ポスト2017年８月18／25日号
『ギリシア人の物語』日本経済新聞2018年２月17日
『歴史の勉強法』週刊ポスト2018年１月５日号
『維新史再考』2018年２～３月　各地方紙
『大学的長崎ガイド』週刊ポスト2018年８月31日号
『刀剣と格付け』産経新聞2019年４月23日
『細川忠利』産経新聞2018年９月17日
『不忍池ものがたり』週刊ポスト2019年４月26日号
『小早川隆景・秀秋』週刊ポスト2019年６月28日号
『シリーズ三都　江戸巻』週刊ポスト2019年８月９日号
『内モンゴル 近現代史研究』週刊ポスト2020年７月３日号
『徳川の幕末』週刊ポスト2020年８月28日号
『その日信長はなぜ本能寺に泊まっていたのか』週刊ポスト2020年12月11日号
『潜伏キリシタン図譜』産経新聞2021年８月22日
『恋する日本史』週刊ポスト2021年５月24日号
『徳川秀忠』産経新聞2020年３月９日
『攘夷の幕末史』週刊ポスト2021年１月１／８日号
『藺と絆』週刊ポスト2015年10月23日号

第五章　現代を読み解くために

『外交の戦略と志』同書「解説・本書に寄せて」(2009年４月刊行)、『歴史家の羅針盤』所収
『地政学の逆襲』週刊ポスト2015年２月20日号
『「ドイツ帝国」が世界を破滅させる』『ドル消滅』『対欧米外交の追憶』東京人2015年９月号
『ブンヤ暮らし三十六年』東京人2015年６月号
『大震災に学ぶ社会科学　第７巻：大震災・原発危機下の国際関係』週刊ポスト2015年８月14日号

初出一覧

第一章　歴史書の愉しみ方と落とし穴

月刊 Voice2023年３月号

第二章　歴史を俯瞰する名著

『歴史と私』東京人2015年７月号
『大世界史』東京人2016年１月号
『世界史の大転換』『使える地政学』東京人2016年９月号
『歴史は実験できるのか』日本経済新聞2018年8月11日
『日本4.0』週刊ポスト2018年11月２日号
『エネルギーの人類史』日本経済新聞2019年７月６日
『人とことば』週刊ポスト2021年２月12日号
『世界神学をめざして』産経新聞「歴史の交差点」2020年７月20日
『Humankind 希望の歴史』日本経済新聞2021年９月４日
『服従』東京人2015年11月号

第三章　歴史上の名著

『アルファフリー』毎日新聞2004年10月24日、みすず書房『歴史家の書見台』(2005年３月刊行) 所収
『知恵の七柱』Harvard Business Review2010年10月７日号、みすず書房『歴史家の展望鏡』(2017年12月刊行) 所収
『地中海』図書新聞1992年２月29日、みすず書房『歴史家の本棚』(1995年４月刊行) 所収
『言志四録』文藝春秋2011年季刊夏号、『歴史家の展望鏡』所収
『留魂録』UP1994年５月号、朝日選書『歴史家の一冊』(1998年４月刊行) 所収
『復興亜細亜の諸問題』東京人2016年７月号
『回教概論』毎日新聞2008年９月28日、みすず書房『歴史家の羅針盤』(2011年１月刊行) 所収
『最終戦争論』一冊の本1996年４月号、『歴史家の一冊』所収
『昭和天皇実録』読売新聞2014年９月15日、一部は『歴史家の展望鏡』所収
『アシェンデン』毎日新聞2008年11月２日、『歴史家の羅針盤』所収

PHP INTERFACE
https://www.php.co.jp/

山内昌之［やまうち・まさゆき］

昭和22年、札幌市生まれ。東京大学名誉教授。専攻は国際関係史と中東・イスラーム地域研究。カイロ大学客員助教授、ハーバード大学客員研究員、東京大学大学院教授、明治大学特任教授などを経て、富士通フューチャースタディーズ・センター（FFSC）特別顧問、横綱審議委員長、ムハンマド五世大学特別客員教授、武蔵野大学客員教授、アサガミ顧問、兆（きざし）株式会社顧問なども務める。紫綬褒章、司馬遼太郎賞、毎日出版文化賞（2回）、吉野作造賞、サントリー学芸賞などを受ける。『中東複合危機から第三次世界大戦へ』（PHP新書）、『中東国際関係史研究』（岩波書店）など著書多数。近著に『将軍の世紀』（上下、文藝春秋、令和5年4月刊）。

歴史を知る読書

（PHP新書 1351）

二〇二三年四月二十八日　第一版第一刷

著者――山内昌之
発行者――永田貴之
発行所――株式会社ＰＨＰ研究所
東京本部――〒135-8137 江東区豊洲5-6-52
ビジネス・教養出版部 ☎03-3520-9615（編集）
普及部 ☎03-3520-9630（販売）
京都本部――〒601-8411 京都市南区西九条北ノ内町11
制作協力
組版――株式会社ＰＨＰエディターズ・グループ
装幀者――芦澤泰偉＋児崎雅淑
印刷所
製本所――図書印刷株式会社

ISBN978-4-569-85442-7

PHP新書刊行にあたって

「繁栄を通じて平和と幸福を」(PEACE and HAPPINESS through PROSPERITY)の願いのもと、PHP研究所が創設されて今年で五十周年を迎えます。その歩みは、日本人が先の戦争を乗り越え、並々ならぬ努力を続けて、今日の繁栄を築き上げてきた軌跡に重なります。

しかし、平和で豊かな生活を手にした現在、多くの日本人は、自分が何のために生きているのか、どのように生きていきたいのかを、見失いつつあるように思われます。そして、その間にも、日本国内や世界のみならず地球規模での大きな変化が日々生起し、解決すべき問題となって私たちのもとに押し寄せてきます。

このような時代に人生の確かな価値を見出し、生きる喜びに満ちあふれた社会を実現するために、いま何が求められているのでしょうか。それは、先達が培ってきた知恵を紡ぎ直すこと、その上で自分たち一人一人がおかれた現実と進むべき未来について丹念に考えていくこと以外にはありません。

その営みは、単なる知識に終わらない深い思索へ、そしてよく生きるための哲学への旅でもあります。弊所が創設五十周年を迎えましたのを機に、PHP新書を創刊し、この新たな旅を読者と共に歩んでいきたいと思っています。多くの読者の共感と支援を心よりお願いいたします。

一九九六年十月

PHP研究所

PHP新書

［歴史］

061 なぜ国家は衰亡するのか　中西輝政
286 歴史学ってなんだ？　小田中直樹
755 日本人はなぜ日本のことを知らないのか　竹田恒泰
903 アジアを救った近代日本史講義　渡辺利夫
922 木材・石炭・シェールガス　石井　彰
1012 古代史の謎は「鉄」で解ける　長野正孝
1057 なぜ会津は希代の雄藩になったか　中村彰彦
1064 真田信之　父の知略に勝った決断力　平山　優
1085 新渡戸稲造はなぜ『武士道』を書いたのか　草原克豪
1086 日本にしかない「商いの心」の謎を解く　呉　善花
1096 名刀に挑む　松田次泰
1104 一九四五　占守島の真実　相原秀起
1108 コミンテルンの謀略と日本の敗戦　江崎道朗
1115 古代の技術を知れば、『日本書紀』の謎が解ける　長野正孝
1116 国際法で読み解く戦後史の真実　倉山　満
1118 歴史の勉強法　山本博文
1121 明治維新で変わらなかった日本の核心　猪瀬直樹／磯田道史
1123 天皇は本当にただの象徴に堕ちたのか　竹田恒泰
1129 物流は世界史をどう変えたのか　玉木俊明
1130 なぜ日本だけが中国の呪縛から逃れられたのか　石　平
1138 吉原はスゴイ　堀口茉純
1141 福沢諭吉　しなやかな日本精神　小浜逸郎
1142 卑弥呼以前の倭国五〇〇年　大平　裕
1152 日本占領と「敗戦革命」の危機　江崎道朗
1160 明治天皇の世界史　倉山　満
1167 吉田松陰『孫子評註』を読む　森田吉彦
1168 特攻　知られざる内幕　戸髙一成［編］
1176 「縄文」の新常識を知れば 日本の謎が解ける　関　裕二
1177 「親日派」朝鮮人　消された歴史　拳骨拓史
1178 歌舞伎はスゴイ　堀口茉純
1181 日本の民主主義はなぜ世界一長く続いているのか　竹田恒泰
1185 戦略で読み解く日本合戦史　海上知明
1192 中国をつくった12人の悪党たち　石　平
1194 太平洋戦争の新常識　歴史街道編集部［編］
1197 朝鮮戦争と日本・台湾「侵略」工作　江崎道朗

1199 関ヶ原合戦は「作り話」だったのか　渡邊大門
1206 ウェストファリア体制　倉山 満
1207 本当の武士道とは何か　菅野覚明
1209 満洲事変　宮田昌明
1210 日本の心をつくった12人　石 平
1213 岩崎小彌太　武田晴人
1217 縄文文明と中国文明　関 裕二
1218 戦国時代を読み解く新視点　歴史街道編集部［編］
1228 太平洋戦争の名将たち　歴史街道編集部［編］
1243 源氏将軍断絶　坂井孝一
1255 海洋の古代日本史　関 裕二
1266 特攻隊員と大刀洗飛行場　安部龍太郎
1267 日本陸海軍、失敗の研究　歴史街道編集部［編］
1269 緒方竹虎と日本のインテリジェンス　江崎道朗
1276 武田三代　平山 優
1279 第二次大戦、諜報戦秘史　岡部 伸
1283 日米開戦の真因と誤算　歴史街道編集部［編］
1296 満洲国と日中戦争の真実　歴史街道編集部［編］
1308 女系で読み解く天皇の古代史　関 裕二
1311 日本人として知っておきたい琉球・沖縄史　原口 泉
1312 服部卓四郎と昭和陸軍　岩井秀一郎
1316 世界史としての「大東亜戦争」　細谷雄一［編著］
1318 地政学と歴史で読み解くロシアの行動原理　亀山陽司
1319 日本とロシアの近現代史　歴史街道編集部［編］
1322 地政学で読み解く日本合戦史　海上知明
1323 徳川家康と9つの危機　河合 敦
1335 昭和史の核心　保阪正康
1340 古代史のテクノロジー　長野正孝

［思想・哲学］

1117 和辻哲郎と昭和の悲劇　小堀桂一郎
1159 靖國の精神史　小堀桂一郎
1215 世界史の針が巻き戻るとき　マルクス・ガブリエル［著］／大野和基［訳］
1251 つながり過ぎた世界の先に　マルクス・ガブリエル［著］／大野和基［インタビュー・編］／髙田亜樹［訳］
1289 日本の対中大戦略　兼原信克
1294 アメリカ現代思想の教室　岡本裕一朗
1302 わかりあえない他者と生きる　マルクス・ガブリエル［著］／大野和基［インタビュー・編］／月谷真紀［訳］